D1377022

felices para Siempre

felices para Siempre

Nancy Van Pelt

ASOCIACION PUBLICADORA INTERAMERICANA
Bogotá—Caracas—Guatemala—Madrid—Managua
México—Panamá—San Salvador—San José, C.R.
San Juan, P.R.—Santo Domingo—Tegucigalpa

Título de este libro en inglés:
To Have and to Hold

Traducción: Sergio V. Collins

Editado por
ASOCIACION PUBLICADORA INTERAMERICANA
1890 NW 95 th Avenue
Miami, Florida 33172
Estados Unidos de Norteamérica

9a. Edición: Julio de 1998

ISBN 0-8163-9901-8

Creación artística:

Ilustraciones:

Tim Adams: 12-13, 26-27, 42-43, 60-61, 76-77, 100-101, 118-119, 146-147, 159, 172-173.

Ronald Hester: 14, 20, 22, 28, 32, 46, 53, 57, 65, 68, 70, 73, 79, 82, 88, 91, 92, 97, 104, 105, 108, 122, 127, 129, 132, 135, 137, 138, 142, 148, 154, 157, 175, 179.

Art Kirchoff, Communication Graphics: 16, 18, 30, 45, 48, 51, 54, 56, 62, 66, 86, 93, 95, 102, 106, 110, 120, 126, 128, 136, 140, 143, 150, 169, 177.

Christine Du Preez: 182, 184, 186, 187, 188.

Tim Menees: 19, 29, 47, 55, 64, 67, 69, 94, 109, 134, 141.

Fotografías

Sam Causey: portada, 10-11.
Colour Library International: 178-179.
Four by Five: 40-41, 74-75, 144-145.
Tim Menees: 116-117.
Photofile: 58-59, 98-99.
H. Armstrong Roberts: 188-189.
Three Lions: 24-25.
Dennis Hallinan (INPRA): 188-189.

Diseño

Dean Tucker, Nery Cruz.

Impreso y encuadernado por
printer colombiana s.a.

Impreso en Colombia
Printed in Colombia

Prólogo de la Autora

Se puede decir con certeza que nadie escribe un libro independientemente de los demás, y esto se aplica en forma especial a mi caso. *Felices para siempre* ha llegado a ser una realidad, no sólo por mis esfuerzos, sino también gracias a los aportes de muchas personas que dieron su tiempo, sus talentos y sus ideas. Esta obra contiene los conocimientos y la experiencia adquiridos durante el proceso de enseñar numerosas clases acerca del tema de la vida de la familia y en las sesiones de aconsejamiento con decenas de parejas necesitadas de orientación. Refleja, además, lo aprendido en cursos y en conversaciones con ministros religiosos y consejeros matrimoniales. Esta obra es también producto de innumerables horas de investigación en una multitud de libros escritos por profesionales. Contiene, asimismo, material tomado de diversas encuestas, incluyendo algunas que yo misma he realizado.

Entre las personas que colaboraron para que este libro fuera publicado en idioma inglés, deseo mencionar a Richard S. Paulson, profesor de inglés y de dicción del Colegio de Reedley, de la ciudad de Reedley, California, quien bondadosamente leyó el manuscrito e introdujo valiosos cambios editoriales y efectuó útiles evaluaciones críticas. Deseo mencionar también a Bob Phillips, consejero matrimonial y familiar, y pastor asociado de la Iglesia Bautista del Noroeste, de Fresno, California, quien aportó su consejo profesional acerca de ciertas partes del manuscrito. Vaya, asimismo, mi reconocimiento al Dr. Paul B. Madsen, también de Fresno, que es especialista en obstetricia y ginecología, quien proveyó orientación técnica para el capítulo que trata de las relaciones íntimas de la pareja conyugal. Quisiera mencionar también a mi amiga Jo Ann Hobbs, quien pasó horas ayudándome a probar la validez de muchas de mis ideas. Agradezco igualmente a los participantes de mis clases sobre temas matrimoniales, quienes han demostrado en su experiencia conyugal que los principios aquí expuestos tienen utilidad y aplicación práctica.

Resulta difícil calcular la gratitud que merecen los miembros de la familia de un autor cuando éste está escribiendo. Agradezco profundamente a mi esposo y a mis hijos por la paciencia que han tenido conmigo durante el período en que preparaba este manuscrito.

Finalmente, deseo de todo corazón que los lectores de esta edición española encuentren en ella toda la ayuda y orientación que necesitan para resolver los problemas que les preocupen y para llevar felicidad a sus matrimonios.

LA AUTORA

DEDICATORIA

**Dedico esta obra a Harry,
esposo amante,
amigo bondadoso
y eficaz compañero de trabajo.**

Prefacio

Hace once años que la autora comenzó a enseñar un curso de mejoramiento de las relaciones conyugales. Eso le hizo comprender que la mayor parte de los libros publicados sobre el tema estaban dirigidos con exclusividad a las mujeres, lo que causaba la impresión de que la responsabilidad por la felicidad matrimonial recaía únicamente sobre las esposas.

Para remediar en parte ese problema, la autora decidió preparar un manual conyugal dirigido tanto a las esposas como a los esposos. Este libro no sólo señala cuál es la responsabilidad de la mujer en la estabilidad del matrimonio, sino también ayuda a los maridos a encontrar el equilibrio debido entre la búsqueda de objetivos personales, las exigencias de su carrera y el mantenimiento de una vida familiar feliz. Ofrece numerosos métodos prácticos que el esposo y la esposa pueden aplicar conjuntamente para alcanzar la dicha conyugal y la felicidad en la familia.

Aunque la autora en su ministerio en favor del matrimonio se ha comunicado individualmente con personas, ahora, al dirigirse en esta obra a un amplio grupo de lectores, lo hace de tal manera que no pierde ese valioso contacto personal. Está convencida de que el mensaje presentado en esta obra es lo que las parejas conyugales necesitan saber, comprender y aplicar a sus vidas, con el propósito de encontrar felicidad y satisfacción. Dice ella: "No soy tan ilusa para creer que un solo libro puede por arte de magia transformar todos los matrimonios. Sin embargo, estoy convencida de que no es necesario que el matrimonio se deteriore en la forma alarmante como ocurre en la actualidad. Afortunadamente, hay ayuda que está al alcance de todos".

El mensaje de *Felices para siempre* se dirige a tres grupos específicos. El primero comprende a los jóvenes que desean seriamente prepararse para el matrimonio. En los colegios y universidades se enseñan diversas materias destinadas a la preparación intelectual, profesional y técnica de los alumnos de ambos sexos; pero no se enseña mucho acerca de la dinámica de las relaciones humanas y del valor de las relaciones interpersonales en el matrimonio: el arte de comunicarse con el sexo opuesto, de simpatizar con él y de entenderlo en forma adecuada. En otras palabras, no se prepara a la juventud para el matrimonio feliz y la vida familiar responsable. Muchos de los problemas que actualmente desgarran a esposos y esposas, y a padres e hijos, podrían evitarse si se conocieran mejor estos importantes aspectos de la vida en común.

El segundo grupo al que se dirige esta obra es el de los matrimonios corrientes, que suponen que están haciendo bastante bien, puesto que no se les ha presentado ningún problema grave en su vida conyugal. A ellos les abre nuevas puertas, para que su matrimonio alcance nuevos e insospechados niveles de desarrollo y satisfacción.

El tercer grupo al que apunta este libro es el de los matrimonios atrapados en las redes de los problemas conyugales y la insatisfacción. Es nuestra esperanza que los conceptos vertidos en forma tan clara y práctica en estas páginas, contribuyan a la solución de las dificultades maritales y a que los matrimonios desavenidos se unan para ascender juntos a las cumbres de la felicidad.

El lograr una relación matrimonial significativa es una tarea compleja que exige conocimiento, habilidad y esfuerzo, como cualquier otra empresa de valor. El éxito aguarda a la pareja que comprende lo que se requiere de ella y que trabaja incansablemente para lograrlo. Es nuestro deseo que al colocar esta obra al alcance del público, sirva de guía y poderoso estímulo tanto para los matrimonios que desean mejorar sus relaciones, como para los que anhelan recuperar su felicidad conyugal. Recuerde el lector que todo problema tiene solución cuando uno se aplica sinceramente a la tarea de encontrarla y de ponerla en práctica. Ojalá que en estas páginas muchos hallen el camino hacia la solución de sus dificultades y hacia la realización de un matrimonio plenamente feliz.

LOS EDITORES

Indice

De cada doce matrimonios, cuatro se estrellarán contra las rocas del divorcio; seis permanecerán a flote, aunque sin gozo ni amor, por consideración a los hijos, a la carrera, a la familia o a la iglesia; y sólo dos se elevarán hasta alcanzar las cumbres del matrimonio feliz.

Contenido del Capítulo

- **I. El matrimonio no ha pasado de moda**
  - A. Cohabitar como convivientes no es satisfactorio
  - B. El matrimonio requiere compromiso y dedicación
- **II. El matrimonio requiere tiempo y esfuerzo**
  - A. Hay que resolver las dificultades grandes y las pequeñas
  - B. Los peldaños de la escalera marital
  - C. Razones adecuadas para casarse
  - D. "Una sola carne" debe ser el blanco
- **III. Los matrimonios con problemas necesitan atención**
  - A. Es necesario buscar ayuda
  - B. ¿A quién acudir?
    1. Ministros espirituales
    2. Consejeros matrimoniales
  - C. Cristo es la clave
    1. Sin Cristo, el matrimonio es

Capítulo 1

En la Buena o en la Mala

La Sra. Ruth de Peale, esposa del conocido psicólogo y autor, Dr. Norman Vincent Peale, cuenta lo que sucedió en una conferencia que ella dictó ante un grupo de alumnas universitarias. Dice que en un momento dado fue interrumpida por una joven muy linda que le dijo en tono burlón: "Sra. Peale, usted afirmó que el matrimonio es la carrera más importante que una mujer pueda seguir. Según mi opinión, el matrimonio es una institución que casi ha dejado de existir, y la mayor parte de nosotras pensamos en la misma forma. No creemos que sea necesario, y ni siquiera deseable, unirnos sexualmente a un individuo, alrededor de los veinte años de edad y limitarnos únicamente a él durante el resto de la vida. ¡Nos parece ridículo!"

Las alumnas miraban con interés a su compañera al continuar ésta diciendo: "Yo duermo con un joven que me gusta. No quiero casarme con él y no creo que él tenga intención de casarse conmigo. No es ésta la primera vez que cohabito con un hombre y probablemente tampoco será la última. No veo nada malo en ello. Si alguna vez me da la gana tener un hijo, entonces me veré

---

solamente una institución humana
2. El eslabón que falta: la espiritualidad

IV. El matrimonio puede ser una bendición o un tormento
- A. Tres alternativas
  1. El divorcio
  2. Dejar las cosas como están
  3. Hacer frente al problema

V. El divorcio
- A. Cada vez tiene más aceptación
- B. ¿Por qué aumentan los divorcios?
  1. Resulta relativamente fácil obtener un divorcio
  2. Deterioro de la vida familiar
  3. Matrimonios prematuros
  4. Deterioro de los valores en la vida conyugal
- C. El divorcio no es la respuesta
  1. Es innecesario
  2. Es indeseable

VI. El matrimonio ideal
- A. Cómo alcanzarlo
- B. Ejemplos de matrimonio ideal
- C. Influencia del matrimonio ideal

forzada por la sociedad a casarme. Pero hasta que no llegue ese momento, no deseo saber nada del matrimonio. Y si alguna vez llego a casarme y las cosas no resultan bien, de ninguna manera me dejaré atrapar en un matrimonio miserable. Sra. Peale, nosotras no somos ciegas. Hemos visto lo que el matrimonio ha hecho a nuestros padres y a otras personas, y no nos agrada. ¿Cuál es su respuesta?"

Ahora todas las alumnas miraron a la Sra. Peale, quien dio la siguiente respuesta: "Sí, tengo una respuesta, y la estoy viviendo yo misma. Me considero una de las mujeres más afortunadas. Me encuentro completamente casada en todo el sentido de la palabra: física, emocional, intelectual y espiritualmente. Estoy unida a mi esposo por lazos muy estrechos. No somos dos personas separadas en mutua competencia. Constituimos una unidad, y ninguna otra cosa en la vida puede compararse con esto. Pero ustedes nunca experimentarán una unidad de esta índole, ni siquiera tendrán una vislumbre de las satisfacciones que esto produce, si mantienen las actitudes que manifiestan y el mismo código de conducta".

"No veo por qué no —repuso la alumna en forma defensiva, pero con menos convicción—. ¿Por qué no podría una relación entre hombre y mujer ser tan significativa fuera del matrimonio como lo es dentro de él?"

"Porque —respondió la Sra. Peale— carece de compromiso y dedicación. No tiene permanencia. No tiene la profundidad que surge del hecho de compartir totalmente, año tras año, de trabajar juntos, de saber que se está construyendo una relación perdurable. ¿Cree usted que nosotros encontramos la felicidad en el matrimonio mediante el toque de una varita mágica? ¡No! Luchamos y trabajamos duramente para alcanzarla. Para nosotros el matrimonio no fue una trampa, en cambio lo consideramos un privilegio. Y existe una gran diferencia en ello".

Mientras la clase miraba en silencio a la Sra. Peale, ella concluyó diciendo: "En este país abundan los matrimonios bien constituidos, pero es necesario formarlos a fuerza de trabajo y dedicación. Eso requiere inteligencia y determinación, y el trabajo nunca está terminado. Cuando se toma el tiempo y se efectúa el esfuerzo para conseguir que el matrimonio funcione satisfactoriamente, la recompensa es enorme".[1]

---

[1]*The Adventure of Being a Wife* por Ruth Peale, publicado por Fawcett Crest. Copyright © 1971, pp. 7-19. Usado con permiso.

El Romance de

______________________________ y

____

En nuestra primera cita hicimos lo siguiente... ______________________________

____

Durante nuestro noviazgo, nuestra mayor diversión consistía en... ______________________________

____

Nuestra canción favorita era... ______________________________

Me sentí atraído (a) a mi compañero (a) por lo siguiente... ______________________________

____

Nuestra boda fue... ______________________________

____

____

En nuestra luna de miel, nosotros... ______________________________

____

____

____

Un recuerdo del pasado que atesoro es...

____

____

El matrimonio completo

Numerosas parejas se enamoran, se casan y suponen que con eso han terminado la tarea conyugal. Tienden a pensar que todo lo demás funcionará automáticamente. Pero esa creencia dista mucho de ser verdadera. Un matrimonio de éxito no se produce espontáneamente o al azar. En cambio, la felicidad conyugal se produce cuando el esposo y la esposa se dedican a resolver con amor y comprensión tanto las pequeñas dificultades como las grandes.

El filósofo Platón acostumbraba a utilizar la ilustración de una escalera para representar el crecimiento que debe producirse en la relación matrimonial. Los dos lados verticales de la escalera representan al esposo y a la esposa, y cada uno de los peldaños representa algo que los atrae y los mantiene unidos en un compañerismo inseparable. El primer peldaño es la atracción física y el último es el amor puro a Dios. Cada uno de los peldaños depende de los demás, con lo que todos adquieren importancia en el mantenimiento de la unidad de la escalera del matrimonio completo.

Alguien definió el matrimonio como "la completa dedicación de la persona total para alcanzar un estilo de vida completo". Esta definición supone que una pareja luchará para alcanzar los objetivos que se había propuesto al unirse en matrimonio. Casarse por conveniencia, para escapar de una situación familiar desagradable, o para darle un nombre a una criatura, no constituye un objetivo adecuado para un matrimonio de éxito. "Y serán una sola carne" (Génesis 2:24). Este pasaje bíblico expresa con palabras que son tan viejas como la raza humana misma, el objetivo más elevado del matrimonio, porque el matrimonio es una unión de amor que abarca todas las esferas de la vida: física, emocional, intelectual y espiritual.

Los matrimonios con problemas necesitan ayuda profesional

Numerosas parejas se resisten a admitir que su matrimonio se ha deteriorado hasta un punto en que necesita ayuda, porque suponen que los problemas conyugales son incompatibles con la vida espiritual. Piensan que han fracasado en su vida cristiana si es que

Chon Day, © 1944, 1972, The New Yorker Magazine, Inc.

deben admitir que existen problemas en su vida familiar. Pero si una pareja conyugal obtiene ayuda a tiempo cuando sus relaciones se han deteriorado, podrá evitar una gran cantidad de aflicción innecesaria.

Numerosos matrimonios con dificultades buscan ayuda de sus consejeros espirituales, pero no les participan sus problemas más íntimos. Temen que lo que expresen en la más estricta confidencia, de alguna manera llegue a oídos de los miembros de la iglesia o termine como ilustración en sermones sobre el matrimonio. Y con demasiada frecuencia, conductores espirituales bien intencionados pero mal preparados, no saben cómo encarar el problema, de modo que se limitan a sugerir lo siguiente: "Les recomiendo que oren acerca de su situación".

En vista de esto, las iglesias debieran responder mejor a las necesidades de sus miembros reconociendo que existen problemas familiares y ofreciendo programas de educación adecuados. Los dirigentes de la iglesia debieran estar más al tanto de las tensiones que surgen dentro del matrimonio y debieran prepararse a fin de poder ofrecer

ayuda definida y adecuada.

Por otra parte, los cónyuges que buscan respuestas a sus dificultades debieran recordar que no existe un remedio instantáneo para la mayor parte de los problemas, y que aun el mejor clérigo o consejero tan sólo puede ofrecer básicamente apoyo y comprensión. En los casos en que un cónyuge rehúsa buscar ayuda espiritual o profesional, el otro debiera buscarla por sí mismo. Dios observa con satisfacción a los que buscan nuevas formas de mejorar las relaciones familiares, porque la vida cristiana comprende un crecimiento continuo y un mejoramiento en todos los aspectos.

La mayor parte de las parejas conyugales necesita relaciones interpersonales y medios de comunicación más adecuados, pero no debe olvidar que la influencia de Cristo en la vida es la clave importante que conduce a un matrimonio satisfactorio y de éxito. Sin tener una relación centrada en Cristo, una pareja conyugal puede encontrar períodos de contentamiento y retazos de felicidad, pero esa unión seguirá siendo nada más que humana y, por lo tanto, carecerá de una verdadera profundidad.

Nunca podremos comprender plenamente nuestras necesidades como seres humanos, hasta que nos relacionemos en forma correcta, no sólo con nosotros mismos y con nuestros semejantes, sino además con Dios.

Algunos se preocupan de satisfacer únicamente los instintos biológicos que inducen a buscar alimento, refugio, vestido y sexo, pero aparte de eso viven intranquilos, aburridos o frustrados, y dejan de funcionar en la forma como Dios desea que funcionen. Todo ser humano tiene la necesidad profunda de mantener una relación personal con Dios. La espiritualidad es el ingrediente que falta en esta época dominada por la actitud permisiva. Cuando los componentes de una pareja conyugal se entregan a la dirección de Dios, llegan a unirse estrechamente como participantes en una relación matrimonial estable y satisfactoria.

Un estado de tormento

Cierta vez, un arzobispo católico visitó la escuela de un distrito minero para confirmar a un grupo de alumnos que estaba por unirse a la iglesia. Durante el servicio, el arzobispo preguntó a una niñita que manifestaba señales de nerviosidad, qué era el *matrimonio.* Y reci-

EVALUACION DE SU MATRIMONIO

Muchas personas tratan de construir un matrimonio sin tener en mente ningún objetivo ni finalidad. Dios desea que cumplamos un plan y propósito en nuestro matrimonio. Si perdemos de vista ese objetivo, entonces nos concentraremos únicamente en nuestros propios deseos. Esto podría compararse con el caso del piloto que anunció a sus pasajeros: "Estamos perdidos, pero alégrense porque vamos a excelente velocidad".

La Biblia insta: "Examinaos a vosotros mismos" (2 Corintios 13:5), y: "Cada uno someta a prueba su propia obra" (Gálatas 6:4). Los que edifican hogares cristianos necesitan buscar nuevas formas de mejorar las relaciones con su cónyuge y de aumentar su felicidad. Algunas parejas tienen un matrimonio mediocre debido a que no han *planeado* tener uno mejor.

Haga esta evaluación de su matrimonio independientemente de su cónyuge, y luego compare sus resultados con los de él o de ella para ver si concuerdan. Si están de acuerdo, pueden decidir llevar a cabo una acción unida. Si no están de acuerdo, pueden explorar cuáles son los medios más adecuados para unirse.

1. ¿Cómo podría usted describir su matrimonio? (Sea específico.)
2. ¿En qué forma cree usted que su cónyuge describiría su matrimonio? (Sea específico.)
3. Haga una lista de los puntos fuertes de su matrimonio.
4. Haga una lista de los puntos débiles de su matrimonio.
5. Me siento más feliz en mi matrimonio cuando...
6. Nosotros nos sentimos más felices en nuestro matrimonio cuando...
7. En mi matrimonio me siento más afectado (o afectada) cuando...
8. Mi cónyuge y yo diferimos acerca de las cosas siguientes:
9. Cuando hemos tenido dificultades en el pasado, las siguientes cosas nos han ayudado a resolverlas:
10. Anote a continuación algunos cambios que usted necesita efectuar en su hogar para los cuales requiere la ayuda de Dios.

bió esta respuesta: "Se trata de un terrible estado de tormento que los que entran en él se ven obligados a sufrir durante un tiempo, a fin de quedar preparados para un mundo mejor".

El sacerdote local interrumpió a la niñita y le dijo: "¡No, no! Tú estás pensando en el *purgatorio.*

"No la interrumpa —dijo sonriendo el anciano arzobispo—. ¿Qué sabe usted o qué sé yo acerca de eso?"

El que el matrimonio se convierta en una bendición o en un tormento depende únicamente de la pareja conyugal.

Cierta vez, una señora de 29 años vino a verme y me dijo que si yo no era capaz de cambiar fundamentalmente a su esposo dentro de las próximas pocas semanas, ella tendría que divorciarse de él. (Y se me pedía que lo hiciera a pesar de que el esposo rehusaba buscar consejo profesional.) Le mencioné las alternativas, que son las mismas para todos los cónyuges que se encuentran en dificultades. Ya sea que los problemas sean triviales o graves, cada cónyuge tiene solamente tres alternativas.

La primera alternativa *es el divorcio,* que tal vez sea el recurso empleado con más frecuencia, por lo menos en algunos países, para resolver los problemas matrimoniales. Numerosos matrimonios llegan a la conclusión de que tienen una causa justificada para divorciarse o separarse, y lo hacen prometiéndose ser más cuidadosos la próxima vez. Sin embargo, con frecuencia el divorcio es innecesario, porque es nada más que un medio utilizado para escapar de una situación comprometedora.

La segunda alternativa consiste en *soportar la situación penosa,* en endurecerse para aguantarla. Esto se lleva a cabo sin hacer nada para mejorar la infortunada situación. La gente nunca se enterará de lo mal que andan las cosas en un hogar desavenido a menos que uno de los cónyuges dé a conocer el problema; de modo que ambos tratan de actuar normalmente ante los demás, y mientras tanto soportan una relación conyugal difícil. Miles de matrimonios han elegido esta alternativa porque es más fácil que enfrentar ciertas deficiencias personales y luego hacer algo para resolverlas. Esta es también una decisión inconveniente.

La tercera alternativa requiere *que se haga frente a los problemas personales* y se lleve a cabo una decisión inteligente para construir un matrimonio feliz a partir del existente. Aun los que tienen "personalidades incompatibles"

El recuadro del perdón

Escriba con lápiz en el recuadro que aparece más abajo cuáles son las cosas que a usted le cuesta perdonar en su cónyuge. Después de orar acerca de ello, pídale a Dios que le ayude a perdonar y olvidar. A continuación borre lo que había escrito. Acepte eso como un símbolo de que usted puede olvidar con la ayuda de Dios.

"Quítense de vosotros toda amargura, enojo, ira, gritería y maledicencia, y toda malicia. Antes sed benignos unos con otros, misericordiosos, perdonándoos unos a otros, como Dios también os perdonó a vosotros en Cristo" (Efesios 4:31-32).

pueden aprender a resolver las deficiencias personales. La palabra *incompatible* es usada con demasiada frecuencia por gente que no está dispuesta a resolver sus dificultades, y que escapa de ellas divorciándose, y casándose con otra persona. Numerosos estudios han demostrado que cuando se divorcian dos cónyuges cuyas relaciones matrimoniales tenían rasgos neuróticos, no importa cuán buenas sean sus intenciones, casi siempre vuelven a constituir matrimonios con el mismo tipo de relaciones neuróticas.

Un psiquiatra comentó que en todos los casos en los que ambos cónyuges habían ido a verlo para tener con él por lo menos cuatro sesiones de aconsejamiento (aunque ya hubieran iniciado los trámites de divorcio), ni una sola de todas las parejas terminó divorciándose. No sólo no se divorciaron, sino además, en todos los casos, una vez que hubieron decidido sacar el mejor partido posible de su matrimonio actual, llevaron a cabo mejoras significativas en sus relaciones maritales e interpersonales. No resulta fácil hacer frente a las imperfecciones individuales, pero es la más madura de las tres alternativas.

"No existen los matrimonios infelices, sino tan sólo cónyuges que son in-

maduros", dice el Dr. David Mace, renombrado consejero matrimonial. Si los cónyuges pudieran desarrollar actitudes maduras, mejorarían sus relaciones en todos los aspectos. En realidad, el viaje hacia el matrimonio ideal es también el viaje de una personalidad infantil hacia una personalidad madura.

Algo peor

En la actualidad la gente tiende a aceptar el divorcio como una solución conveniente y adecuada de sus problemas matrimoniales. A manera de ejemplo, diremos que las estadísticas norteamericanas revelan que 38 por ciento de los matrimonios que se efectúan por primera vez terminan en divorcio. Los divorcios en el condado de Los Angeles, California, alcanzan a 50 por ciento. En cambio, el porcentaje de divorcios en el rico condado de Marin, también en California, es el más alto de la nación, ya que el 70 por ciento de los casamientos terminan en disolución. Las estadísticas muestran, además, que un segundo matrimonio tiene casi el doble de probabilidad de terminar mal que un primer matrimonio.

Hay diversos factores que han contribuido a acrecentar el número de divorcios en los años recientes. Uno de ellos es la facilidad creciente con que la gente se puede divorciar.

Otro factor contribuyente es el deterioro de la vida familiar. Hace algunos años el hogar constituía el núcleo de las actividades, pero ahora desempeña más bien el servicio de un hotel, al que los miembros de la familia llegan para pasar la noche a fin de salir al otro día a ocuparse en sus diversas actividades.

También los casamientos prematuros y la falta de preparación para el matrimonio, pueden contribuir al aumento de los divorcios. El matrimonio parece algo tan natural que suponemos que es posible tener éxito sin una preparación especial. El hecho es que la gente no nace con el conocimiento ni la comprensión necesarios para hacer frente a las complejidades del matrimonio.

El número de divorcios se ha visto influenciado también por el deterioro de la calidad de la vida cristiana. Mucha gente vive como si no existieran principios, verdades o valores que se deben poner en práctica. Las dudas, las frustraciones y la desesperación saturan sus mentes, por lo que recurren a sustitutos inadecuados en un vano esfuerzo por encontrarle significado a la vida. Utilizan las drogas, el sexo, el ocultismo, el alcoholismo y otras actividades, en un desesperado esfuerzo por escapar de la vacuidad y soledad.

En la mayor parte de los casos, el divorcio resuelve muy poco y evade mucho. Deja a su paso aflicción, soledad y una sensación de fracaso personal. Y en los casos en que se puede considerar una curación para un matrimonio enfermo, el remedio con frecuencia llega a ser peor que la enfermedad.

Conviene desarraigar de la mente la idea de que el divorcio es una solución adecuada para los problemas conyugales, y nunca se lo debe utilizar como

1

una amenaza lanzada contra el cónyuge. Puede ser que el divorcio sea lo último que un cónyuge desee, y sin embargo una vez hecha la amenaza, puede resultar sumamente difícil retroceder, debido al orgullo y al amor propio.

Un eminente consejero matrimonial ha hecho notar que la mayor parte de los divorcios no sólo son innecesarios sino también indeseables. Frecuentemente, tanto el esposo como la esposa, se encuentran en peores condiciones después del divorcio que antes de él. Los que optan por el divorcio no siempre piensan en los graves reajustes que deberán llevar a cabo. Debido a que esos reajustes, con frecuencia, producen depresión, la proporción de enfermedad mental, suicidio y muerte es más elevada entre los divorciados que entre las personas casadas de las mismas edades.

Algo mejor

Sin embargo, el hombre y la mujer que entran en el estado del matrimonio con la idea de convertirlo en "una dedicación total de la persona para lograr un estilo de vida total" pueden esperar razonablemente tener un matrimonio satisfactorio. Dejando de lado a los que padecen de trastornos mentales, a los neuróticos y a los alcohólicos, que debieran evitar casarse, prácticamente todas las personas que tengan un grado aceptable de sentido común y madurez, y que estén dispuestas a desplegar el esfuerzo necesario, pueden sentirse razonablemente seguras de tener un matrimonio exitoso.

Una amiga me dijo no hace mucho: "Tengo 35 años de edad y he encontrado una sola pareja que disfrutaba una vida matrimonial feliz". Esta amiga no necesitaba argumentos lógicos para convencerla de que era posible tener un matrimonio feliz. Necesitaba casos reales de personas que vivieran en armonía y que irradiaran felicidad marital y optimismo.

Tal vez alguien diga: "¿Y qué podemos hacer nosotros? Somos tan sólo una pareja que vive en un mundo impersonal que avanza sin cesar". Pero aunque se trate de una sola pareja no es tan insignificante como para no ejercer influencia. Puede efectuar una contribución importante dentro de su círculo de amigos. Lo que importa establecer aquí no es si sobrevivirá la institución del matrimonio, sino si su matrimonio podrá sobrevivir. Cuando su matrimonio sea feliz, ejercerá una influencia directa sobre sus amigos como sobre otros matrimonios, e inclusive sobre el de sus hijos cuando éstos se casen. Alguien ha estimado que en el término de un año cada matrimonio influye directamente sobre otras doce parejas conyugales. ¡Si se pudiera mantener esta relación, el mundo cambiaría!

Su matrimonio puede ser algo más que solamente una influencia. También puede inspirar a otros. Puesto que los matrimonios felices son bastante escasos, usted puede crear una influencia positiva en su vecindario.

Cierta vez mi esposo asistió a un seminario sobre el matrimonio, y como parte del mismo, tuvo que trabajar con una atractiva divorciada para hacerse entrevistas mutuas a fin de informar al grupo algunos hechos interesantes de la vida de cada uno. En su informe, ella destacó que envidiaba la felicidad y la unión que mi esposo tenía en su matrimonio.

Una autora cristiana escribió lo siguiente: "Una familia bien ordenada y disciplinada dice más en favor del cristianismo que todos los sermones que se puedan predicar".

Se ha dicho: "El remedio para todos los males, las frustraciones, las preocupaciones, las tristezas y los delitos de la humanidad, se encuentra en una sola palabra: 'Amor'. El amor es la vitalidad divina que en todas partes genera y restaura la vida. A todos nos da el poder de obrar milagros si lo deseamos".

Contenido del Capítulo

Capítulo 2

El Amor Conyugal

Durante toda nuestra vida procuramos encontrar alguien que nos ame y a quien nosotros podamos amar. Verdaderamente el amor es necesario para sobrevivir. Sin él perdemos la voluntad de vivir; disminuye nuestra vitalidad mental y física; nuestra resistencia se hace menor; y a veces hasta pueden resultar enfermedades fatales. En cambio cuando sentimos amor, experimentamos un bienestar que nos afecta física, mental, social y espiritualmente.

Miles de personas se suicidan cada año porque no reciben amor suficiente. Muchos recurren al divorcio a fin de recomenzar su búsqueda del amor. En los hospitales para enfermos mentales hay pacientes que, por falta de afecto, han caído en el mundo de la locura. Numerosos niños que son objeto de crueles castigos físicos y descuido por parte de sus padres, experimentan claras señales de neurosis o psicosis. Investigaciones realizadas han demostrado que los niños de poca edad que carecen de un trato afectuoso de parte de sus madres, no sólo manifiestan señales de trastornos emocionales sino también tienen una estatura física inferior a la normal. En los asilos de ancianos

---

2. Cómo demuestra el amor el varón
   a. Mediante el sostén de la familia
   b. Mediante un comportamiento protector
3. Características de la naturaleza masculina
   a. Bondad y afecto
   b. Amor y sentimientos
4. La forma de amar del hombre es diferente de la forma de amar de la mujer
   a. No puede vivir sin amor
   b. El amor lo motiva a trabajar, a hacer planes, a sacrificarse, a invertir, a progresar y a proseguir con sus intereses.

II. Amor genuino
- A. Un principio puesto en acción
- B. Definición
  1. Comprende dedicación
  2. Es incondicional
  3. Trata de satisfacer las necesidades de los demás
  4. Nos permite amarnos a nosotros mismos
  5. Ayuda a los demás a afirmarse en su identidad
  6. Es permanente

hay miles de padres y madres de edad que pasan las postrimerías de sus vidas sin que nadie se fije en ellos, sin que nadie los ame, y que van regando con lágrimas el camino hacia la tumba.

El Dr. Smiley Blanton, en su libro *Love or Perish,* declara: "Durante más de 40 años he escuchado en mi consultorio a personas de todas las edades y condiciones sociales que me han comunicado sus esperanzas y temores... Al mirar hacia atrás en el tiempo, una verdad emerge con claridad en mi mente, y es la necesidad universal de amor... La gente no puede sobrevivir sin amor: debe recibirlo o perecerá".

Cuando no hay amor, fracasa el matrimonio, y como resultado, los cónyuges desavenidos y su familia se ven envueltos en penosas frustraciones. Las

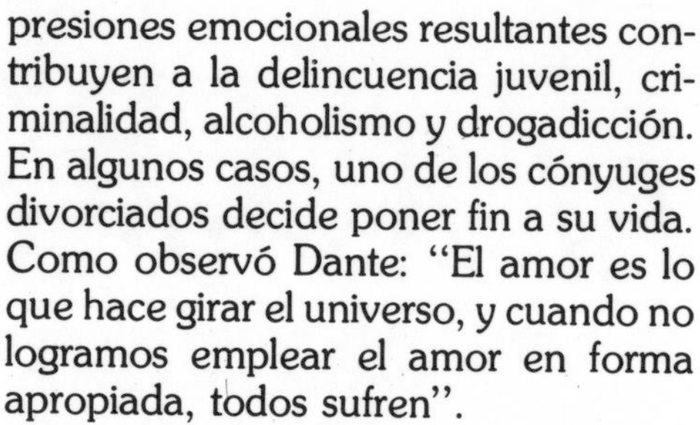

presiones emocionales resultantes contribuyen a la delincuencia juvenil, criminalidad, alcoholismo y drogadicción. En algunos casos, uno de los cónyuges divorciados decide poner fin a su vida. Como observó Dante: "El amor es lo que hace girar el universo, y cuando no logramos emplear el amor en forma apropiada, todos sufren".

La verdad es que todos deseamos recibir amor, y en algunos casos pareciera que no recibimos suficiente. El amor es, en efecto, el factor más importante que contribuye a nuestro bienestar. Impelidos por su fuerza motivadora podemos avanzar por la vida haciendo frente a los momentos más amargos, y soportando insultos y crueldades.

Sin embargo, toda persona debe comprender que no siempre será amada en la forma y con la intensidad que desea. Quien espere recibir amor sin límites, espera más de lo que otra persona puede darle. Además, es necesario reconocer que la sociedad espera cierto nivel de comportamiento antes de considerarnos dignos de ser amados o aun de ser aceptados.

Toda la existencia de la mujer gira en torno al amor

El amor es indispensable para la supervivencia del ser humano, y especialmente las mujeres tienen una gran capacidad para dar y recibir amor. Por ejemplo, esa capacidad de amar se evidencia cuando toma una aguja para remendar una camisa rota. Cuando prepara una comida, su amor se mezcla con el alimento. Cuando se levanta a las dos de la mañana para alimentar a su criatura, también lo hace con amor. Cuando viste a su bebé, lo hace con amor. Cuando prepara una torta de cumpleaños para su hijo, está motivada por el amor. Cuando mira a su no-

PARA MEDITAR

"Porque éste es el mensaje que habéis oído desde el principio: Que nos amemos unos a otros" (1 S. Juan 3:11).

1. ¿Qué hace que yo me sienta amado (a)?

2. ¿Qué hace que mi cónyuge se sienta amado (a)?

3. Encuentre nuevas formas como podría expresar su amor hacia su cónyuge mediante acciones durante esta semana.

4. Encuentre nuevas expresiones para mostrar su amor a su cónyuge en esta semana.

vio o a su esposo, sus ojos reflejan amor.

La capacidad de amar de la mujer puede extraer lo mejor que hay en el hombre, y puede inspirarlo para que lleve a cabo notables realizaciones en su vida. Su amor puede hacer surgir esperanza y confianza en un hombre, y hasta puede hacerlo sentirse deseado, digno, importante y útil. Al agitar la mano en ademán de despedida cuando se va su esposo en la mañana, y al recibirlo con afecto cuando regresa en la noche, también evidencia su amor. Cuando su esposo tiene los nervios alterados y se encuentra próximo al agotamiento, su amor lo puede reconfortar. Cuando se encuentra abatido por el desánimo y han desaparecido sus esperanzas y sueños, ella puede ayudarle a renovarlos.

Se necesita el toque afectuoso y amante de una mujer, y el amor que existe en su interior tan sólo espera que el debido hombre abra esa fuente de calor y afecto. A la vez, las mujeres también tienen una gran capacidad para recibir amor. No sólo pueden dar grandes cantidades de afecto, sino también pueden absorber una gran cantidad de amor. La llave que abre el depósito de su amor se encuentra en las manos del hombre que le ofrezca felicidad conyugal y seguridad emocional al devolverle ese profundo afecto.

El hombre, durante el noviazgo expresa constantemente a su novia palabras amorosas y la hace objeto de manifestaciones de ternura. Pero una vez casado con ella, suele dejar de reconocer su intensa necesidad de sentirse amada un día tras otro durante el resto de su vida.

Debido a su capacidad de recibir afecto, las expresiones diarias de amor romántico son esenciales para la existencia de una mujer. Son indispensables para que se sienta valiosa, para que experimente satisfacción en la vida conyugal, y para que responda sexualmente. Si un hombre se siente atrapado en un matrimonio aburrido, que no le proporciona ninguna satisfacción, debiera estudiarse a sí mismo para encontrar en él parte de la causa de ese mal. Los maridos podrían producir un cambio hasta en la esposa más indiferente si le manifestaran amor romántico en forma persistente y considerada.

Un confundido esposo se quejaba de no ser capaz de comprender a su esposa. "Le he dado todo lo que desea y necesita. Tenemos un hogar cómodo en un buen barrio, toda clase de aparatos eléctricos que facilitan el trabajo en el hogar y televisión en color. Soy un esposo fiel, no soy bebedor ni castigo a los hijos. Pero ella dice que se siente miserable, y no puedo saber cuál es la razón". Este marido no se daba cuenta que su esposa estaría dispuesta a cambiar su casa y todos los muebles, si a cambio de ello pudiera recibir expresiones de afecto y manifestaciones de cariño de parte de él. Las comodidades del hogar no bastan para que una mujer se sienta realizada afectivamente; pero eso, sí se consigue cuando ella sabe que es el objeto de la ternura de su esposo.

Muchos hombres ignoran que las mujeres tienen necesidad de recibir amor romántico, debido a que durante siglos la sociedad ha sostenido que ellas tienen el deber de satisfacer sexualmente a sus maridos. Hasta podría ser que algunos hombres estuvieran dispuestos a firmar un contrato matrimonial si éste incluyera como deber de la esposa la preparación de comidas, la limpieza y el arreglo de la casa, la atención de los invitados y privilegios sexuales, según sea necesario. Las relaciones románticas podrían ser un beneficio adicional, pero ciertamente no un requisito.

¡Pero no ocurre lo mismo en el caso de la mujer! Una relación semejante le produciría profunda frustración. Necesita algo más significativo. Desea ser algo especial para su esposo; anhela ser amada, respetada, apreciada y tenida en cuenta. En los últimos años las investigaciones han demostrado que la necesidad que tiene la mujer de recibir satisfacción afectiva es tan urgente como la necesidad masculina de satisfacción sexual. Es tan injustificable para un hombre ignorar la necesidad de amor romántico que tiene su esposa como lo es que ella le niegue la satisfacción sexual.

Esto explica por qué una dueña de casa pasa tanto tiempo pensando en su esposo durante el día, por qué un aniversario es más importante para ella que para él, y por qué se siente tan frustrada cuando su esposo se olvida de esas ocasiones o deja de hacerla objeto de muestras de aprecio. También explica por qué una mujer trata de llamar la atención de su marido y de conversar con él cuando éste vuelve a la casa al final de un día de trabajo y se sienta cómodamente a leer el periódico o a mirar televisión sin preocuparse de ella.

La seguridad emocional constituye un objetivo muy importante en la vida de la mujer. Por eso muchas esposas tratan de obtener esa seguridad de su marido pidiéndole que haga algo que ella misma podría llevar a cabo fácilmente. La disposición de su esposo a hacerlo le sirve como una medida de su amor y consideración.

En algunos casos una mujer espera que su esposo haga lo que ella desea *sin que se lo pida,* porque ve en eso una evidencia de un grado de amor hacia ella aún mayor. De modo que no siempre le dirá lo que desea que haga. Y si él no hace lo que ella desea, se molesta y se frustra.

Esta característica femenina con frecuencia se presenta en mi hogar. Yo soy capaz de hacer las cosas y puedo bastarme por mí misma, pero a veces espero que mi esposo haga algunas cosas por mí, como ser, echar gasolina en el tanque del automóvil. Esto no tiene nada que ver con las tareas que corresponden al hombre o a la mujer. En cambio se relaciona únicamente con mi necesidad de seguridad afectiva. Si mi esposo satisface mis deseos reafirma mi seguridad de que tengo un lugar en sus afectos.

En algunos casos, una mujer puede negar querer lo que precisamente desea, y si su esposo acepta lo que ella dice, se siente molesta. Razona que debido a que ella es tan importante para su esposo, él debiera comprender cuáles son sus deseos y satisfacerlos sin que ella tenga necesidad de expresarlos. En la vida íntima suelen ocurrir dificultades como resultado de este comportamiento femenino. Por ejemplo, el esposo se muestra sexualmente interesado, pero ella no responde. En un esfuerzo por ser considerado con sus deseos, él se da vuelta y trata de quedarse dormido. Pero puede suceder que debido a esa reacción del marido la esposa se ponga a llorar o se sienta herida. ¿Por qué? Tal vez suponga que es tan irresistiblemente atractiva sexualmente

cen mucho, o no dan muestras de haber captado el sentido de esas palabras, eso no significa que no necesiten expresiones de afecto. Algunas esposas han sido condicionadas para no expresar sus sentimientos y solamente de tarde en tarde responden con muestras exteriores de afecto. Pero esos mensajes de amor pronunciados por el esposo surtirán efecto en su corazón. Tal vez su esposa sepa muy bien que usted la aprecia y se preocupa de ella, pero a pesar de eso necesita escuchar palabras cariñosas. He guardado una carta de las docenas que mi esposo me escribió durante nuestro noviazgo, cuando nos encontrábamos separados el uno del otro. En esa carta escribió repetidamente: "Te amo, te amo, te amo". Esas palabras aparecían escritas en el frente de la carta, en el dorso y en el sobre. Nunca me he cansado de leerlas.

que su esposo debiera persistir en sus esfuerzos, a pesar de los obstáculos que ella le ponga en el camino. Si el esposo no insiste, ella saca por conclusión que él no la ama suficientemente, lo que se convierte en una amenaza para su seguridad afectiva.

Esta situación marital produce gran confusión. Las mujeres debieran aprender a expresar verbalmente sus necesidades en forma clara y sincera. Y los hombres debieran reconocer que las mujeres tienen una gran necesidad de sentirse afectivamente seguras.

Algunos hombres piensan de esta manera: "Si le dijera diariamente a mi mujer que la amo, con el tiempo eso dejaría de tener sentido". Sin embargo, las palabras de cariño dichas sinceramente siempre tendrán un significado especial para ella. Si la esposa responde con entusiasmo, el esposo sabrá inmediatamente que ella ha comprendido. Aunque algunas mujeres no di-

Una advertencia para las esposas: algunas mujeres esperan que sus maridos les presten una atención exagerada. Las novelas, el cine, las revistas y la televisión han proyectado una imagen distorsionada de las realidades que el matrimonio suele presentar. Si la esposa compara a su marido con el elegante héroe de la pantalla, es probable que el esposo no esté a la altura de aquél. Eso puede producir en la esposa sentimientos de frustración, desdicha y amargura. Algunas mujeres tienen la tendencia a vivir en un mundo de ensueños y a imaginar que se puede vivir únicamente de amor. Aunque el sentimentalismo es grato y satisfactorio, sus efectos no son duraderos, y podrían compararse a una torta hecha únicamente de azúcar, la cual no tardaría en disolverse.

El amor del hombre es diferente

También el hombre ama, pero su manera de amar es diferente de la forma en que lo hace la mujer. El hombre es afectuoso por naturaleza, y es un grave error suponer que se muestra afectuoso únicamente cuando eso le proporciona una recompensa sexual. Aunque el amor del hombre podría no estar tan directamente ligado a sus emociones, como en el caso de la mujer, no por eso deja de ser muy real. Lo que ocurre con frecuencia es que el amor masculino es más práctico y menos romántico en sus demostraciones afectivas.

Después que un joven le pide a una señorita que se case con él, puede ser que pase una buena parte del tiempo comentando acerca de su futuro económico, lo que él considera una evidencia de su amor tanto como sus besos. Un padre que juega con su hijita y la hace reírse a carcajadas, también está demostrando su amor por ella. Un esposo muestra su amor mientras saca cuentas para ver si puede comprar una lavadora de ropa, un par de zapatos para su hijito o un vestido nuevo para

"Si yo hablase lenguas humanas y angélicas, y no tengo amor, vengo a ser como metal que resuena, o címbalo que retiñe. Y si tuviese profecía, y entendiese todos los misterios y toda ciencia, y si tuviese toda la fe, de tal manera que trasladase los montes, y no tengo amor, nada soy. Y si repartiese todos mis bienes para dar de comer a los pobres, y si entregase mi cuerpo para ser quemado, y no tengo amor, de nada me sirve.

"El amor es sufrido, es benigno; el amor no tiene envidia, el amor no es jactancioso, no se envanece; no hace nada indebido, no busca lo suyo, no se irrita, no guarda rencor; no se goza de la injusticia, mas se goza de la verdad. Todo lo sufre, todo lo cree, todo lo espera, todo lo soporta.

"El amor nunca deja de ser; pero las profecías se acabarán, y cesarán las lenguas, y la ciencia acabará" (1 Corintios 13:1-8).

su esposa. El hombre que invierte su dinero en casas o terrenos lo hace tomando en cuenta el futuro de su familia a fin de asegurarlo financieramente. Una mujer podría considerar todo esto como necesidades, pero son preocupaciones que muestran el deseo del hombre de dar, compartir y proveer. También esto es amor.

De modo que aunque pocos hombres poseen la habilidad de encantar a una mujer con expresiones sentimentales románticas, no por eso dejan de demostrar su amor en una forma calmada y racional. Por ejemplo, un esposo lleva regularmente a su hogar su sueldo, y dedica todas sus ganancias a satisfacer las necesidades de la familia.

Un hombre puede sentir muy poca emoción al levantarse a las seis y media de la mañana cinco días en la semana para trabajar durante ocho o más horas, pero la razón básica para continuar haciéndolo es su amor hacia su familia. Hay hombres que soportan esta rutina durante toda la vida y con frecuencia no piden mucho más que alimento, ropa limpia y de vez en cuando relaciones sexuales satisfactorias.

Cuando un hombre abre la puerta del automóvil para que descienda su esposa, y la toma del brazo mientras caminan, manifiesta una actitud protectora hacia ella. Quiere protegerla del peligro o de cualquier cosa que pudiera amenazarla, lo cual es otro elemento integrante del amor masculino.

No importa cuán áspero parezca un hombre exteriormente, de todos modos en su interior tiene ternura y amor. Mientras yo enseñaba en una comunidad rural, una esposa me dijo que su marido, un agricultor, cuando araba el campo y encontraba un nido con huevos en el suelo, pasaba el arado con cuidado alrededor de él para no destruirlo; eso demuestra que el hombre es por naturaleza bondadoso, afectivo, amante y sentimental. Tiene ternura, puede ser profundamente considerado y expresar de muchas maneras su amor por su familia.

Aunque el amor no constituye la existencia completa de un hombre, éste no puede vivir sin amor. El amor motiva al hombre a trabajar, a hacer planes, a sacrificarse, a invertir, a expandir sus negocios y a continuar en la lucha por la vida. Por amor renuncia a vivir solo y a la libertad que eso significa, firma el contrato matrimonial, acepta plena responsabilidad financiera por su esposa y sus hijos, abandona muchos de sus intereses personales y se dedica a vivir para los suyos.

No hay límite para el amor que una mujer puede recibir de un hombre cuando aprende a abrir la puerta de su corazón, porque ella puede proporcionar la atmósfera emocional adecuada para que él pueda expresar sus sentimientos y atreverse a compartir su amor.

El amor genuino

Hemos dicho que el amor romántico es un elemento necesario del matrimonio, pero el amor significa mucho más que solamente sentimientos expresados en afecto romántico, por importante que éstos sean. El amor en el matrimonio madura a medida que una pareja aplica el principio del amor en su trato diario. El amor genuino, entonces, sobrepasa los sentimientos y se convierte en un principio que debe ponerse en acción. No sólo debemos esperar ser tratados con amor y consideración, sino que también debemos *actuar* con amor y consideración.

Sin embargo, es muy difícil para la mayor parte de nosotros expresar constantemente nuestro amor. Muy pocos de nosotros nos *sentimos* inclinados a ser tiernos, considerados, comedidos y serviciales todos los días de nuestra vida, debido a que nuestros sentimientos se alteran fácilmente por nuestro estado de ánimo, por la comida ingerida, por el estado del tiempo, por la enfermedad, por la reacción de nuestro cónyuge hacia nosotros, y por una cantidad de otras variables. Puesto que los sentimientos son inestables, los que sostienen que el amor es principalmente un sentimiento serán amantes inestables. Vivirán entregándose a lo que produce placer y agrado.

Por cierto que los sentimientos constituyen un componente del amor. El amor no sería muy interesante o divertido si no pudiera expresarse en sentimientos. En realidad, la primera atracción entre un hombre y una mujer se reduce principalmente a sentimientos, y la relación amorosa no podrá sobrevivir a menos que intervengan en ella sentimientos afectuosos.

Sin embargo, en el matrimonio tienden a desaparecer algunos de los sentimientos de ternura manifestados durante el noviazgo. Nadie podría vivir constantemente en un torbellino emocional. Cuando disminuyen los sentimientos de ternura de la primera época del enamoramiento, se producen situaciones en la vida conyugal cuando la satisfacción emocional se encuentra en un punto bajo. En esa situación pueden surgir sentimientos negativos que podrían envenenar la relación conyugal. Si eso llega a ocurrir, será necesario ejercer el principio del amor que comprende y soporta. Con el paso del tiempo, el amor incipiente puede madurar y convertirse en amor genuino que une los corazones y las vidas y que escapa de la acción destructora de sentimientos negativos.

El amor genuino nos permite amarnos a nosotros mismos. El amor genuino manifestado hacia otra persona se basa en un amor genuino hacia uno mismo. La Biblia invita a amar al prójimo como a nosotros mismos. La relación es clara: cualquier cosa que hagamos por nuestro prójimo también debemos hacerla por nosotros mismos. En la relación marital esto significa que haremos por nuestro cónyuge lo que también hacemos por nosotros mismos.

Con frecuencia resulta difícil para los cristianos comprender este concepto, porque una gran parte de la doctrina cristiana gira en torno al principio de hacer algo por los demás. Hemos llegado a considerar que pensar en "uno mismo", o sentirse digno, es pecado. Pero amarse a uno mismo no significa que uno sea orgulloso. En cambio, se trata de una tranquila sensación de seguridad basada en sentimientos de capacidad personal. Cuando una persona se respeta a sí misma, aprecia lo que vale. Es capaz de evaluar correctamente sus habilidades y de sentir la seguridad de que es igual a otros. El orgullo, sin embargo, hace que una persona exagere el valor de sí misma y la hace sentirse superior a las demás.

La idea de sentir aprecio por uno mismo o de sentirse digno, es una idea que a menudo es considerada extraña; sin embargo, los cónyuges podrán dedicarse a tener una relación satisfactoria únicamente en proporción al respeto mutuo y a las creencias positivas que tengan acerca de sí mismos.

LOS PRINCIPIOS DEL AMOR GENUINO

El amor genuino incluye dedicación. Debido a que sería demasiado agotador entrar en un compromiso personal total con varias personas del sexo opuesto al mismo tiempo, es necesario escoger a una sola. El ser humano no tiene energía emocional suficiente para mantener varias relaciones amorosas al mismo tiempo. Eso le resultaría muy agotador.

Hay personas inmaduras y sin experiencia que entran en compromisos personales que posteriormente no pueden honrar. La luz de la luna, la música y los momentos sentimentales se les van a la cabeza, por lo que hacen promesas de amor que más tarde no pueden cumplir. Esas personas abandonan el compromiso efectuado, van a los tribunales, se divorcian y luego salen descuidadamente a buscar una nueva relación amorosa, sin siquiera preocuparse de corregir sus defectos personales. El amor producirá buenos resultados si nos preocupamos de cultivarlo, pero muchísimas personas no se preocupan de hacer lo necesario para darle al amor la oportunidad de fructificar. Las personas sensatas hacen una cuidadosa selección y preparación *antes* de comprometerse para toda la vida en una relación amorosa.

El amor genuino es incondicional. Una relación amorosa sujeta a condiciones no es genuina, y únicamente en una atmósfera de amor incondicional es posible bajar las defensas lo suficiente para permitir que se desarrolle la intimidad.

Cuenta una esposa que su marido le manifestaba amor únicamente cuando la casa estaba bien limpia y ordenada. Añadió que ella necesitaba saber que su marido la amaba estuviera o no la casa limpia. También hay mujeres que dan amor sexual únicamente cuando el esposo cumple ciertas condiciones preestablecidas por ellas. Esas esposas prometen satisfacer las necesidades sexuales de sus maridos siempre que éstos hayan completado de antemano tareas determinadas o bien si cumplen ciertas normas de comportamiento.

Estos son casos de amor condicional. Puede resultar difícil encontrar un caso de amor incondicional perfecto, debido a los defectos de la naturaleza humana. Nuestras debilidades emocionales y psicológicas nos impiden sentirnos totalmente libres para dar amor incondicional a otros. Pero el amor incondicional constituye un excelente ideal que debiéramos tratar de alcanzar.

El amor genuino trata de satisfacer las necesidades del otro. El marido que se levanta a medianoche para llevarle un vaso de agua a su esposa, actúa con amor. No cuesta mucho llevar a cabo actos de amor cuando el cónyuge es afectuoso y considerado. Pero resulta difícil

SOMETA A PRUEBA SU CAPACIDAD DE AMAR

Aplíquese esta corta prueba y compare su amor y el amor de su cónyuge con la definición que la Biblia da de lo que es el amor. Tome en cuenta el trato mutuo diario. Una vez completado este ejercicio compare sus respuestas con las de su cónyuge.

EL AMOR...		Sin problemas	Aceptable	Regular	Necesita ayuda
no se impacienta (no se irrita)	Yo Cónyuge				
busca la manera de ser constructivo (contribuye a la satisfacción de las necesidades del otro)	Yo Cónyuge				
no es posesivo (deja en libertad para expresar la individualidad)	Yo Cónyuge				
no trata de impresionar (no hace ostentación)	Yo Cónyuge				
no tiene un concepto inflado acerca de sí mismo (no es engreído)	Yo Cónyuge				
tiene buenos modales (manifiesta discreción y decencia)	Yo Cónyuge				
no trata de obtener ventaja personal (su mayor preocupación es satisfacer las necesidades del otro)	Yo Cónyuge				
no es irritable (no es hipersensible ni se ofende con facilidad)	Yo Cónyuge				
no lleva cuenta de las ofensas recibidas (olvida las ofensas que ha perdonado)	Yo Cónyuge				
no se regocija por la maldad de otros (no excusa los propios pecados debido a que otros hacen lo mismo)	Yo Cónyuge				
comparte el gozo de los que viven de acuerdo con la verdad (se relaciona con personas que practican la verdad)	Yo Cónyuge				
manifiesta paciencia ilimitada (pasa por alto las faltas y soporta las dificultades)	Yo Cónyuge				

cuando habla descomedidamente, cuando rehúsa escuchar, cuando llega tarde a las comidas y cuando descuida deberes que son urgentes.

Frente a tales problemas, he desarrollado lo que llamo "la prueba de amor". Una persona debe responder con amor aun cuando su cónyuge haya actuado descomedidamente. Cuando podemos dedicarnos a satisfacer las necesidades del otro cónyuge aunque las nuestras resulten postergadas, estamos ejerciendo amor genuino.

El amor genuino permite al otro cónyuge expresar su individualidad. El amor no es posesivo. El amor genuino, por lo tanto, afirma la individualidad del cónyuge porque le permite expresarse libremente. No intenta poseer o manipular a otros. Significa que el cónyuge queda en libertad para pensar por sí mismo, para expresar sus sentimientos y llevar a cabo sus propias decisiones. El amor genuino deja en libertad al otro cónyuge para desarrollarse y evolucionar en su personalidad de acuerdo con sus propios intereses.

Esta clase de amor permite que el cónyuge tenga diversos amigos e intereses fuera de la relación matrimonial, porque cada uno necesita una cierta cantidad de "espacio" en el cual desarrollar su identidad y sus potencialidades. Al no acaparar toda la vida del cónyuge, se lo deja libre para que disfrute de la amplia gama de experiencias admirables que pueden presentarse en la vida de cada uno.

El amor genuino es permanente. Una de las características más hermosas del amor que el apóstol San Pablo presenta en el capítulo trece de la primera Epístola a los Corintios, es la permanencia del amor genuino. El amor nunca deja de ser. Sin embargo, las cortes de justicia que tratan los casos de divorcio están llenas de parejas conyugales amargadas y desilusionadas, todas las que en un momento u otro afirmaban amarse.

Mucho de lo que hoy llamamos amor comienza como una pasión ardiente, pero lo mismo que una planta hermosa, se marchita y muere si los que aseguran amarse no comprenden la forma de nutrirla y cuidar de ella. El amor, aun el amor genuino, es frágil y delicado.

Se necesita tener autodisciplina para amar en forma genuina. En el primer capítulo mencioné mi definición favorita de lo que es el matrimonio: "Es la dedicación total de la persona completa durante toda la vida". La palabra clave es *dedicación*, que incluye la idea de permanencia.

En nuestro matrimonio, este concepto funciona en la forma que sigue. Los sentimientos y las circunstancias del momento no pueden alterar el amor que mi esposo y yo sentimos el uno por el otro. Nuestra dedicación mutua nos mantiene permanentemente unidos, aunque nuestras emociones fluctúen. A veces mi esposo me frustra y como resultado mueren mis sentimientos románticos. En otras ocasiones soy yo quien lo frustro a él debido a que fallo en mis esfuerzos por ser una compañera tierna y amante. A veces nos encontramos consumidos por sentimientos de enojo, resentimiento, amargura y desesperación. Pero nos hemos entregado el uno al otro y hemos prometido amarnos incondicionalmente en la salud y en la enfermedad, en la riqueza y en la pobreza, en la buena y en la mala, hasta el fin de nuestra vida. Puede ser que fallen nuestros sentimientos románticos, pero un amor genuino nos mantiene unidos a través de los tiempos difíciles.

La clave para poner en práctica el principio del amor genuino es la *ausencia de egoísmo*. La plenitud en una relación de amor completa y satisfactoria, se lleva a cabo cuando los cónyuges maduran y se despojan de una actitud egoísta para permitir el florecimiento del amor genuino. Para recibir amor hay que darlo. Jesús dijo: "Dad y se os dará" (S. Lucas 6:38), y esta enseñanza enunciada por él también se aplica al matrimonio. Si se desea una relación de amor más profunda, es necesario comenzar dando más amor. En lugar de esperar que el cónyuge sea el primero en demostrar afecto hacia uno, es mejor dar uno mismo los primeros pasos en esa dirección. De modo que dedíquese a descubrir las necesidades de su cónyuge y a satisfacerlas ahora mismo.

"Que Dios me conceda serenidad para aceptar las cosas que no puedo cambiar, valor para cambiar las que puedo, y sabiduría para percibir la diferencia".

Contenido del Capítulo

I. **Aceptación**
   A. Lo que incluye la aceptación
      1. Considerar al cónyuge como una persona valiosa
      2. Aceptar al cónyuge tal como es
      3. Respetar el derecho del cónyuge a ser diferente
      4. Dejar que el cónyuge tenga su propia manera de ver las cosas
      5. Aceptar las actitudes del cónyuge por muy diferentes que sean
   B. La aceptación no significa:
      1. Que usted pretenda que su cónyuge sea perfecto
      2. Que no existan errores
   C. La aceptación significa:
      1. Reconocer las imperfecciones
      2. Reconocer que es necesario hacer cambios
      3. Aceptar la persona totalmente

II. **Falta de aceptación**
   A. Formas comunes de falta de aceptación
      1. Crítica
      2. Observaciones negativas

Capítulo 3

La Aceptación del Cónyuge

Recuerdo que durante mi noviazgo insistí muchas veces en que mi novio era *el* hombre perfecto; pero poco tiempo después de nuestro casamiento, descubrí que mi cónyuge "perfecto" adolecía de hábitos y defectos que me irritaban. Pensé que la vida de casados sería más agradable y satisfactoria si mi esposo hiciera lo necesario para conformarse a la idea que yo tenía de lo que era un cónyuge perfecto. Era como si una fuerza invisible me empujara a "ayudarle" a superar sus deficiencias para que fuera más digno de mi aceptación, de la de mi familia y de otras personas. Continué mis esfuerzos durante varios años, pero sin obtener ningún resultado positivo.

Cuando un cónyuge toma sobre sí la responsabilidad de cambiar al otro, se producen discordias maritales, debido a que una condición básica de nuestra felicidad consiste en ser respetados, apreciados y aceptados tales como somos. Nos sentimos incómodos cuando se ejerce presión sobre nosotros para hacernos cambiar nuestros hábitos, personalidad o preferencias. Especialmente en el hogar, es importante que aprendamos a aceptar las diferencias, a tolerar las idiosincrasias y a respetar las individualidades.

---

3. Sugestiones sutiles
4. Indirectas
5. Actitudes no verbales

B. Resultado de los regaños
1. Aumentan los problemas
2. Matan el amor
3. Ponen a la defensiva

III. Intento de cambio

A. Razones por las que se intenta cambiar al cónyuge

B. Cómo señalar las faltas, si es necesario

C. Cómo cambiar al cónyuge

IV. Cómo desarrollar la aceptación

A. Pasos que conducen a la aceptación
1. Reconocer una actitud de justicia propia
2. Dejar al cónyuge en libertad para actuar como desee
3. Concentrarse en los puntos positivos
4. Expresar verbalmente la aceptación

B. Cómo expresar verbalmente la aceptación
1. Expresar aprecio por la personalidad y el carácter
2. Mencionar sectores específicos en los que se registra progreso

–Supongamos que no saque las mejores notas en clase. ¿Acaso ganas tú el sueldo más alto en la oficina?

¿En qué consiste la aceptación?

¿Qué significa aceptar a su cónyuge? Significa que usted debe considerarlo una persona valiosa. Significa que lo aprecia y lo quiere tal como es, y que puede respetar su derecho de ser diferente de usted. Significa que le permite tener sus propios sentimientos acerca de diversas cosas y situaciones. Significa que usted acepta sus actitudes del momento, por muy diferentes que sean de las suyas.

Aunque produce grandes recompensas aceptar a otra persona tal como es, no resulta una tarea fácil. Eso hace necesario responder a preguntas que pueden ser bastante difíciles, como las siguientes. ¿Puedo aceptar a mi cónyuge cuando considera los problemas de la vida en forma diferente como yo los considero? ¿Puedo aceptarlo cuando elige un método diferente de resolver los problemas? ¿Puedo permitirle que tenga gustos diferentes de los míos? ¿Puedo aceptarlo cuando está enojado conmigo?¿Puedo respetar su derecho a elegir sus propias creencias y desarrollar sus propios valores? ¿Puedo aceptarlo con todos sus defectos y virtudes?

No resulta fácil aceptar a otra persona debido a la resistencia común a permitir a nuestro cónyuge, a nuestros hijos, a nuestros padres o a nuestros amigos, a sentir en forma diferente acerca de cuestiones en particular o de ciertos problemas que difieren de nuestro modo de sentir. Sin embargo, la facultad de ser diferente, el derecho que cada persona tiene a usar su propia experiencia como lo considere adecuado y de descubrir sus propias soluciones, es una de las posibilidades más inapreciables de la vida.

¿Debe uno pretender que su cónyuge sea perfecto? ¡Por supuesto que no! La aceptación significa que uno reconoce las imperfecciones sin hacerlas blanco de su disgusto y sin tratar de cambiarlas. En cambio, se decide a aceptar al cónyuge tal como es, incluyendo sus errores. Algunos creen que han estado practicando la aceptación, cuando lo único que han estado haciendo ha sido tolerar a su cónyuge. Han conseguido dominar su actitud de crítica, pero han continuado con sus miradas acusadoras, con sus muecas, y con sus largos y mortificantes silencios. Y generalmente todos podemos detectar cuando estamos siendo tolerados en vez de ser plenamente aceptados. Cuando un cónyuge acostumbrado a criticar libremente logra refrenarse, puede considerar que ha dado el primer paso hacia la plena aceptación de los demás.

Como condición previa a la aceptación de otras personas tal como son, hay que mencionar la capacidad de aceptarse a sí mismo tal como uno es. La aceptación de uno mismo permite captar mejor las necesidades de los demás y a no sentir el impulso de entremeterse en la vida ajena para corregir los defectos del otro. Al adoptar esta actitud de comprensión y tolerancia, uno se siente conforme consigo mismo y deja que los demás vivan su propia vida.

Factores que afectan la aceptación

La capacidad de aceptar a los demás depende parcialmente del temperamento. Hay quienes poseen una gran capacidad de aceptación. Son calmados y tienen una buena disposición natural. Ayudados por su seguridad interior y su elevado nivel de tolerancia, conocen bien cuáles son sus propios méritos. A todos nos gusta la compañía

de personas que aceptan fácilmente a los demás, porque nos agrada su trato. Podemos expresar libremente nuestros sentimientos e ideas íntimos sin sentir temor al ridículo. Podemos comportarnos con naturalidad y ser nosotros mismos.

En cambio, hay otros que no aceptan a los demás y se sienten incómodos en su compañía. Tienen ideas rígidas y definidas acerca de lo que es el comportamiento adecuado y el que es incorrecto. Uno se siente mal en compañía de esas personas, porque nunca sabe si se está comportando a la altura de sus expectativas.

El nivel de aceptación es también afectado por el estado mental. Cuando nos sentimos bien, hay pocas cosas que nos molestan. Sin embargo, cuando estamos cansados, cuando nos duele la cabeza o cuando no estamos satisfechos por alguna razón, nos molestan hasta las cosas insignificantes. Del mismo modo, estamos menos dispuestos a aceptar a nuestro cónyuge cuando nos encontramos de visita o cuando otras personas se encuentran de visita en nuestro hogar. Por ejemplo, algunas conversaciones y modales que no provocan ningún comentario cuando nos encontramos solos en el hogar, repentinamente parecen inaceptables cuando alguien nos visita.

Resulta más difícil ejercer la aceptación dentro del grupo familiar que dentro del grupo de amigos. Cuando un amigo tiene un rasgo que nos molesta o nos irrita, podemos pasarlo por alto o buscar otro amigo, pero no podemos borrar al abuelo de la lista de nuestras amistades cuando éste se ha puesto senil. La tía Marta seguirá asistiendo a todas las reuniones familiares a pesar de sus exigencias egoístas y de su necesidad de atención constante. La aceptación entre los cónyuges puede resultar todavía más difícil cuando uno o ambos no son tolerantes. Ya es bastante difícil tolerar ocasionalmente a parientes o amigos que resultan molestos; y a veces resulta todavía más difícil tolerar al esposo o la esposa, con quienes hay que convivir diariamente y cuyos defectos hay que soportar constantemente.

Una de las cosas que encuentro más difíciles de aceptar en mi esposo, es su despreocupación por el paso del tiempo. Cuando va a la casa de un vecino en busca de una herramienta, se pone a conversar y demora tanto tiempo que termina por exasperarme. A veces llega tarde para la cena, después de haberme telefoneado que venía en camino. He llegado a la conclusión de que el tiempo significa para él algo diferente de lo que significa para mí. En mi familia, desde niña me enseñaron a aprovechar el tiempo, de modo que me resulta difícil tolerar que otros lo pierdan, y me causa molestia.

Afortunadamente, debido a mi disposición de aceptar a mi esposo, he logrado llegar a apreciar su naturaleza despreocupada y calmada, que le permite disfrutar de numerosas situaciones en el momento presente, que yo paso por alto debido a mi compulsión a producir. ¿Es mi "productividad" su-

PROGRAMA DE TRES SEMANAS DE DURACION PARA RECUPERAR EL AMOR

La crítica, la actitud quisquillosa, las quejas interminables y los rezongos, ya sean manifestados en voz alta o mantenidos en el pensamiento, destruyen el amor. Dios desaprueba esas actitudes negativas y en cambio recomienda que pensemos con amor y agradecimiento acerca de todo: "Si hay virtud alguna, si algo digno de alabanza, en esto pensad" (Filipenses 4:8).

A continuación haga una lista de diez cosas que le gusta ver en su cónyuge, y repásela en la mañana y en la noche, agradeciendo a Dios por esas bendiciones.

LISTA DEL ESPOSO

"Si hay virtud alguna, si algo digno de alabanza, ***en esto pensad***" (Filipenses 4:8).

____
____
____
____
____
____
____
____
____
____

"Dad gracias en todo" (1 Tesalonicenses 5:18).

LISTA DE LA ESPOSA

"Si hay virtud alguna, si algo digno de alabanza, ***en esto pensad***" (Filipenses 4:8).

____
____
____
____
____
____
____
____
____
____

"Dad gracias en todo" (1 Tesalonicenses 5:18).

perior a la despreocupación de mi esposo? ¿Debiera forzarlo a encajar en mi molde debido a que su personalidad no me satisface en algunos aspectos? Por fortuna, debido a mi disposición a aceptarlo, he comprendido que *diferente* no significa *equivocado.* Ahora puedo aceptar sin dificultad su manera de ser calmado, como un atributo que complementa mi impulso a producir. Pienso que es afortunado que ambos no tengamos el mismo temperamento, porque eso podría llevarnos a extremos en la competencia por producir, o bien podríamos llevar una vida demasiado tranquila que no nos permitiría producir nada de valor.

Es necesario comprender que en el matrimonio no se está permanentemente en condición de aceptar al cónyuge. Algunos comportamientos seguirán siendo inaceptables, como el hábito de beber, de fumar, de dedicarse a juegos al azar, proferir palabras soeces, ser flojo, manifestar falta de honradez o ser vulgar.

Además, aceptar a una persona no significa que uno está obligado a sentir afecto por ella, pero de todos modos eso permite evaluar una situación molesta sin manifestar hostilidad. En el matrimonio surgen decenas de diferencias personales con las que tenemos que aprender a vivir. Ya se trate de diligencia, de la asistencia a la iglesia, de la manera de hablar o de preferencias personales de cualquier clase, con un poco de práctica y de buena voluntad, es posible elevar los niveles de tolerancia y aceptar las diferencias básicas en los individuos.

Formas comunes de falta de aceptación

Ya sea que se empleen abiertamente la crítica y expresiones de menosprecio, o bien que se usen sugestiones sutiles o indirectas, se trata de manifestaciones de falta de aceptación. No es indispensable hablar para transmitir el mensaje. También las miradas de desaprobación y disgusto, o un suspiro, pueden expresar una actitud de falta de aceptación.

Una de las formas más comunes de falta de aceptación son las reconvenciones y los sermoneos. El sabio rey Salomón declaró: "Gotera continua en tiempo de lluvia y la mujer rencillosa, son semejantes; pretender contenerla es como refrenar el viento, o sujetar el aceite en la mano derecha" (Proverbios 27:15-16).

Alguien dijo: "Muchos hombres se desaniman y abandonan la lucha por alcanzar el éxito, debido a que sus esposas han desalentado todas sus esperanzas y aspiraciones, y les han quitado las ganas de luchar porque los critican continuamente y no terminan de pedirles explicaciones acerca de por qué ellos no pueden ganar tanto dinero como otros hombres que ellas conocen, por qué no pueden ocupar un cargo destacado o hacer alguna otra cosa notable".

A continuación damos una lista de las críticas más frecuentes que las esposas suelen hacer: nunca arregla nada

en la casa, nunca me saca de paseo, no se levanta temprano, mira televisión hasta tarde en la noche, se levanta demasiado temprano, no asiste a la iglesia, gasta el dinero descuidadamente, se endeuda, no me habla, no entiende mis sentimientos, no se ocupa de nuestros hijos, se olvida de los cumpleaños y aniversarios, no pasa en la casa el tiempo suficiente, no me trata con cariño a menos que desee tener relaciones sexuales, no me da dinero, es demasiado tranquilo, no recoge su ropa, usa un lenguaje vulgar, tiene malos modales en la mesa, conduce el automóvil como loco, me cuenta los mismos chistes una y otra vez, se cree demasiado, dice malas palabras frente a los niños, rehúsa hacer ejercicio, come demasiado, pasa demasiado tiempo jugando a la pelota, no paga las cuentas a tiempo, es demasiado dominador, o pasivo, o indeciso.

Pero no se crea que regañar es un pasatiempo puramente femenino, también hay hombres que se especializan en este proceder. Las quejas de los hombres generalmente se refieren al descuido en mantener la casa ordenada y limpia, a los accesos de llanto que a veces tienen las mujeres, a la dependencia de sus padres, a los celos, a los períodos de silencio forzado que interrumpen la comunicación, a los hábitos de gastar dinero, al tiempo excesivo que pone la esposa para arreglarse antes de salir, a que las comidas nunca están a tiempo, a la interrupción de las relaciones sexuales como forma de castigo, a las tendencias perfeccionistas, al negativismo y a la disposición caprichosa.

Sin embargo, es más probable que un hombre critique y no que se queje; pero cuanto más critica, tanto más aleja a su esposa. Una mujer con tendencias caprichosas, que nunca está a tiempo o que gasta el dinero descuidadamente, es muy difícil que responda favorablemente a la crítica. Casi todos nos resentimos cuando alguien nos critica.

Un esposo que comprendió que sus críticas contra el descuido de su esposa de mantener aseada y en orden la casa no producían ningún efecto positivo, decidió hacer el trabajo de ella además del propio en la oficina. No se sentía feliz de tener que hacer dos trabajos, pero practicó ese plan durante varios meses hasta que su esposa se sobrepuso a su bloqueo emocional, que era una reacción negativa contra su madre, quien era una mujer muy meticulosa en el arreglo de la casa. Cuando su esposa recae en los malos hábitos de descuido y desaseo, él vuelve a hacerse cargo del trabajo doméstico.

Las quejas y las críticas aumentan los problemas

Aun cuando se crea que las intenciones son buenas, las quejas y la crítica crean tensión en el hogar. La esposa puede deprimirse o ponerse a la defensiva; puede resentirse, enfadarse o reventar de rabia cuando se le hace una sugestión. El marido, por su parte, puede comenzar a castigar a su esposa en una docena de formas insidiosas para desquitarse porque no lo acepta tal como es. Con frecuencia se interrumpen las comunicaciones. Un esposo puede ponerse abiertamente hostil, áspero y enojado. Una esposa puede ponerse indiferente, distante y encerrarse en períodos de silencio. Se desorganiza el sistema de comunicación. Esto lleva a que el esposo y la esposa, aunque viven bajo el mismo techo, nunca hablan de cosas significativas e importantes. En etapas más avanzadas del mal que se produce como resultado de la falta de aceptación, los esposos pueden buscar aceptación y comprensión fuera del hogar.

También los hijos sufren a causa de las tensiones que aparecen entre sus padres. Aunque no comprendan lo que sucede y no entiendan las palabras que se pronuncian, de todos modos se dan cuenta que hay algo que no anda bien debido a la atmósfera imperante, al silencio, las ofensas y las miradas cargadas de resentimiento. Eso amenaza su seguridad y los llena de preocupación.

Las quejas matan el amor

Hace muchos años, Napoleón III, sobrino de Napoleón Bonaparte, se enamoró de la condesa de Teba y se casó con ella. Napoleón y su esposa tenían salud, riqueza, poder, fama, belleza y amor. El escenario estaba preparado para una vida de romance, pero al poco tiempo su amor vaciló, se enfrió y finalmente murió. Napoleón pudo convertir a Eugenia en una emperatriz, pero ni el poder de su amor ni la autoridad de su trono, nada en toda Francia, pudo impedir que ella tuviera una actitud criticona y quejosa. Los celos la desesperaban y la sospecha la devoraba. Estaba convencida que su marido andaba con otra mujer.

¿Qué ganó Eugenia con sus quejas? Napoleón, con un sombrero que le ocultaba el rostro, y acompañado por alguno de sus amigos íntimos, con frecuencia se escapaba de noche por una puerta lateral para encontrarse con alguna dama que lo estaba esperando. Eugenia estaba sentada en el trono de Francia. Era una de las mujeres más bonitas del mundo. Pero eso no bastaba para mantener vivo el amor de Napoleón en medio de la atmósfera venenosa de las quejas y las críticas de su mujer.

A un hombre le resulta difícil amar a una mujer regañona y sermoneadora, tal vez porque eso le recuerda sus días infantiles cuando su madre lo importunaba interminablemente con una u otra cosa, tal como: "Haz la cama, abróchate el abrigo, no hables con la boca llena".

Un psiquiatra le preguntó cierta vez a una esposa regañona: "¿Cómo puede usted esperar que su esposo la ame cuando usted tanto lo sermonea? Si él quiere saber cuáles son sus defectos, deje que vaya a consultar a un psiquiatra y que lo deteste por decirle la verdad. Pero usted no puede darse el lujo de provocar su rencor".

PREGUNTAS IMPORTANTES

1. ¿Pasa usted más tiempo criticando a su cónyuge que considerando sus rasgos positivos y agradables?
2. ¿Hace su cónyuge cosas que a usted le molestan tanto que siente que debe llamarle la atención?
3. ¿Habla usted con menosprecio a espaldas de su cónyuge?
4. ¿Ha colocado usted normas tan elevadas para su cónyuge que ni usted puede cumplirlas?
5. ¿Presiona usted a su cónyuge para que se amolde a las normas que usted le ha impuesto a fin de poder aceptarlo con más facilidad?

También las mujeres se sienten deshechas por la crítica y las reconvenciones constantes. No encuentran nada de gozo en la tarea de limpiar la casa, de cuidar a los hijos o de preparar las comidas para un hombre que las critica constantemente.

El sermoneo despierta una actitud defensiva

Ser aceptado como uno es constituye una necesidad humana básica, debido a lo cual la persona busca la satisfacción necesaria. La falta de aceptación hiere la dignidad, daña el amor propio y despierta resentimiento. Una primera línea de defensa puede manifestarse en un contraataque verbal, o bien puede presentarse a través de la tacañería, de la terquedad, de la pereza, de la falta de cooperación, de la falta de amor, del silencio, de la hosquedad, o bien mediante otros actos de hostilidad. Cuanto más sermonea, se queja o critica uno de los cónyuges, tanto mayor resentimiento manifestará el otro. En realidad, una persona que no es aceptada puede comenzar a pasar tiempo fuera del hogar para buscar a alguien que la acepte y la ame tal como es. Una persona resentida suele prometer secretamente tomarse el desquite.

El sermoneo no produce ningún resultado positivo

Una señora confesó en una sesión de psicoterapia de grupo, que había estado tratando de cambiar a su esposo durante 35 años. Dijo que dedicaba dos días por semana a llevar a cabo su proyecto. Pero había fracasado, y ahora se sentía amargada, cansada y solitaria. Comentó entre lágrimas que lamentaba haber pasado 35 años de su vida tratando de llevar a cabo algo que había resultado completamente inútil.

Otra esposa dijo que ella anotaba todas las faltas de su marido. Admitió que sus críticas y sus ataques constantes habían alejado de su hogar a su esposo y a su hijo. Ninguno de los dos cambió. La familia se reunió únicamente cuando el esposo sufrió un ataque de corazón, debido a lo cual la esposa se asustó y comenzó a apreciar el verdadero valor de su marido.

Considerando los problemas que surgen a raíz del intento de cambiar la

conducta del cónyuge —las tensiones, la falta de comunicación y el efecto negativo sobre los hijos—, conviene preguntarse: ¿Vale la pena? ¿Es la necesidad de cambiar a su cónyuge para que se conforme a las ideas que usted tiene, más importante que un hogar feliz, que un cónyuge amante y que unos hijos emocionalmente seguros?

La razón

¿Por qué ha tratado usted de cambiar a su cónyuge? Probablemente admitirá que lo hace porque él o ella *necesita cambiar.* Tal vez mediante la perspicacia femenina o la lógica masculina usted ha detectado sectores en la vida de su cónyuge que necesitan mejorarse para que ambos puedan ser más felices. Tal vez usted piense que es honorable ayudar a su esposo o esposa a vencer sus defectos para tener una personalidad más aceptable. Después de todo, *es para el propio bien* del cónyuge.

Sin embargo, a pesar de estos nobles propósitos, se está violando un principio cristiano básico. El núcleo del mensaje cristiano es la necesidad de efectuar cambios indispensables en nosotros mismos, y no la de nuestra habilidad para cambiar a otros. Jesús nos invita a echar la viga de nuestro propio ojo antes de concentrarnos en la paja que se encuentra en el ojo de otra persona.

Detrás de la crítica pueden haber motivos insidiosos. A veces desmerecemos a otras personas para sobreponernos a nuestros propios sentimientos de inferioridad. Al rebajar el valor de otros reforzamos nuestro débil amor propio.

Pero con desmerecer a otros no probamos nuestra propia valía. En cambio, solamente colocamos a la otra persona en una posición inferior, y con eso automáticamente la ponemos a la defensiva.

Cuando elegimos el estilo de vida cristiano algo debe suceder a nuestras actitudes. Debiéramos poder perdonar sinceramente los defectos del prójimo. Además, por el hecho de ser cristianos, debiéramos recordar que Dios nos acepta completamente, como pecadores. Si no tenemos que demostrarle que somos dignos, ¿por qué tendríamos que demostrar nuestra dignidad a otras personas? El saber esto debiera liberar al cristiano y ayudarlo a desarrollar un mayor aprecio por sí mismo y por los demás, reconociendo plenamente la amorosa aceptación de Dios.

Cómo señalar las faltas, si es necesario

Ningún esposo o esposa debiera permanecer indiferente cuando su cónyuge ofende a otras personas debido a sus acciones, palabras, vestimenta u olor corporal. Hay ocasiones cuando es necesario señalar las faltas, y usted puede ser la única persona que siente suficiente preocupación para hacerlo. Cuando se cumple este deber con tacto y consideración, el cónyuge no debiera resentirse. Usted debe saber hasta dónde puede llegar con su crítica constructiva sin que su cónyuge se incomode cuando trata de un punto delicado de su personalidad, y dónde se encuentra la diferencia entre incitar al enojo y conducir a la superación. Cuando algunas esposas critican a sus maridos, aun levemente, eso desata la guerra. Otras señalan con suavidad algún defecto y hacen algunas sugestiones que creen que serán útiles, y sus maridos lo aceptan con agradecimiento.

Puede ser que un cónyuge tenga una queja legítima y desee hacer una observación válida, pero tal vez la haga cuando no es el tiempo apropiado. Se debe pedir a una persona que enmiende su comportamiento solamente cuando es oportuno para que introduzca los cambios necesarios. Conviene esperar hasta que haya pasado el incidente, porque con frecuencia ambos cónyuges pueden estar demasiado cerca de la situación para considerarla objetivamente y verla con amplitud. Al permitir que se enfríen las emociones del momento, se podrá ver el caso desde una perspectiva más ventajosa y actuar con mayor sabiduría.

Ponga atención a sus modales y al tono de su voz. No le hable a su cónyuge como un padre o una madre que reprende o castiga a un niñito por haberse portado mal. Háblele de igual a igual. La relación que usted mantiene con su cónyuge es más importante que la relación que podría tener con cualquier otra persona, incluyendo sus hijos, de modo que vale la pena hacer un esfuerzo especial para mantenerla lo más satisfactoria posible. Una profesora de idiomas se quejaba de la mala gramática de su esposo. Como yo los conocía personalmente, sabía que su esposo tenía un buen trabajo, que era un dirigente en su iglesia y que tenía muchos amigos. Sus faltas de gramática molestaban únicamente a su esposa, de modo que le aconsejé que no las tomara en cuenta y que en cambio pensara en sus buenas cualidades. En realidad, con frecuencia sucede que otras personas están mejor dispuestas que nosotros mismos a aceptar las particularidades de nuestro cónyuge. Después de todo, no son ellos los que viven con los defectos, y el conocimiento de esto debiera libertarnos de una parte de nuestro impulso a reformar a nuestros cónyuges.

Tanto el esposo como la esposa no debieran tener inconvenientes para comentar acerca de las cosas que los preocupan, pero nunca debieran hacerlo atacándose mutuamente. Una manera segura de enfriar el afecto es decirle al cónyuge con demasiada frecuencia las cosas que está haciendo mal. No hay nada que destruya el amor más rápidamente que la repetición interminable de los defectos del otro. Para sentirnos amados debemos sentirnos comprendidos, y no criticados ni condenados.

Cómo cambiar al cónyuge, si realmente se lo desea

Tal vez un cónyuge se sienta convencido de que debe seguir el camino de la aceptación. Se siente avergonzado debido a sus actitudes y acciones pasadas, pero se pregunta si su cónyuge hará un esfuerzo para mejorar en caso de que él practique la aceptación total. El pensamiento de tener que hacer frente al futuro cuando su cónyuge no hace ningún esfuerzo por mejorar le resulta insoportable.

El Dr. Murray Bowen, profesor de psiquiatría de la Escuela de Medicina de la Universidad de Georgetown, Washington, D. C., y pionero en la investigación de cuestiones relativas a la ciencia de la familia, declaró: "La familia constituye un sistema. Un cambio ocurrido en una parte del sistema es siempre seguido por un cambio compensatorio en otras partes". Según el Dr. Bowen, quien ha estudiado a familias durante veinte años, un problema nunca tiene que ver con una sola persona. Si un marido es un trabajador compulsivo, tal vez hay algo en su esposa que lo lleve a trabajar incesantemente. Si una esposa es muy gastadora, tal vez haya algo en su esposo que estimula esa extravagancia. Por cierto que no resulta fácil vernos como parte de un problema familiar, y es muy humano culpar a otros por nuestras propias debilidades. Eso lleva a formar el hábito de echar la culpa sobre el otro cónyuge.

Además, con frecuencia caemos en el hábito de dar respuestas automáticas. Por ejemplo, Juan llega tarde al hogar sin avisarle a María, su esposa. Cuando llega, María lo recibe en silencio, rehúsa hablar y se va temprano a la cama para enseñarle una lección y evitar tener relaciones sexuales con él. Juan se enoja y se sienta contrariado a leer un libro.

Si se desea efectuar un cambio en esta rutina de las respuestas automáticas, Juan o María deben dejar de reaccionar en un nivel puramente emocional y aprender a actuar con la disciplina que da el pensamiento maduro. Cuando uno de ellos no está satisfecho con lo que el otro hace, en vez de quejarse, criticar o sermonear, debiera cambiar esa respuesta automática o habitual y actuar de una manera diferente. Veamos nuevamente la situación anterior, pero con una variante. Juan llega tarde a la cena sin avisarle a María, su esposa. Pero esta vez María cambia su estrategia. Le da de comer a los niños y luego los envía a acostarse. Cuando Juan llega al hogar, María calienta la comida y ambos comen alegremente manteniendo una animada conversación. María ha roto el ciclo. Juan pide disculpas por haber llegado tarde sin avisar, en vez de enojarse.

Esto también producirá buen resultado en el caso del lector. Me ayudó a mí. Un día mi esposo y yo llegamos a un callejón sin salida en nuestras relaciones matrimoniales. Repentinamente comprendí que para retener a mi esposo a mi lado *tenía que efectuar algunos cambios en mi comportamiento.* Tendría que ser en ese momento o no po-

EJERCICIO ESCRITO SOBRE LA ACEPTACION

1. Exprese en palabras su aceptación a su cónyuge. Escriba a continuación lo que le gustaría decir.
   ____
   ____
   ____

2. Elija un rasgo de su cónyuge que le causa irritación, y decida que en adelante lo tolerará mejor. Anote a continuación ese rasgo de carácter.
   ______________________________ Fecha: __________
   Repase esta parte dentro de algunas semanas para ver si ha efectuado algún progreso.

3. Aprenda de memoria los pasajes bíblicos de Filipenses 2:13-15 y 4:8, 13.
   "Porque Dios es el que en vosotros produce así el querer como el hacer, por su buena voluntad. Haced todo sin murmuraciones y contiendas, para que seáis irreprensibles y sencillos, hijos de Dios sin mancha en medio de una generación maligna y perversa, en medio de la cual resplandecéis como luminares en el mundo" (Filipenses 2:13-15).
   "Por lo demás, hermanos, todo lo que es verdadero, todo lo honesto, todo lo justo, todo lo puro, todo lo amable, todo lo que es de buen nombre; si hay virtud alguna, si algo digno de alabanza, en esto pensad... Todo lo puedo en Cristo que me fortalece" (Filipenses 4:8, 13).

4. Seleccione cuidadosamente un cambio que usted desee que Dios efectúe en su vida durante esta semana. Escriba a continuación el cambio elegido.
   Cambio deseado: ______________________________
   Fecha en que pidió a Dios que efectuara el cambio: __________
   Fecha en que se efectuó el cambio: ____________________

5. Copie la declaración que aparece más abajo y colóquela en un lugar donde pueda leerla varias veces durante la semana.

   Cuando sienta deseos de cambiar a mi cónyuge, primero me pondré frente a un espejo y me daré una buena mirada a mí mismo o a mí misma.

dría hacerlo nunca. Después de hacer un estudio de mi conducta comprendí que debía comenzar cambiando mis actitudes. Dejé de tratar de cambiarlo a él, de alisar sus asperezas, y de sugerirle lo que debía hacer y de cómo debía actuar. Eso lo convirtió en un hombre nuevo y a mí en una mujer diferente. También nuestro matrimonio se renovó. Mi esposo no necesitaba mis consejos. En cambio necesitaba mi aceptación. Cuando dejé de tratarlo con una actitud de madre, él comenzó a aceptarse tal como era, y llevó a cabo un esfuerzo definido por mejorar en ciertos sectores de su personalidad.

Los tres axiomas que siguen pueden ayudarnos a tener una nueva actitud de aceptación: (1) no podremos cambiar a nadie mediante una acción directa. (2) Podemos cambiarnos únicamente a nosotros mismos. Y (3) cuando cambiamos nosotros mismos, los demás tienden a cambiar como respuesta a nuestro propio cambio.

Cómo expresar aceptación

La mayor parte de nosotros tiende a pensar en la aceptación como una actitud que no se puede expresar con palabras. Puesto que amamos a nuestro cónyuge y respondemos a él, pensamos que él automáticamente entiende que es aceptado. Aunque la aceptación se origina en el interior, también debe demostrarse mediante acciones, tanto como mediante palabras. Es necesario decirle al cónyuge que se lo acepta *tal como él o ella es.*

Al comienzo puede resultar defícil expresar aceptación mediante palabras, pero es necesario tratar de hacerlo. Hay que procurar descubrir frases individuales para expresarla. Una forma sencilla y eficaz de decirlo, es ésta: "Me gustas tal como eres". Cuando uno dice que le gusta una persona tal como es, eso significa que le gusta en totalidad, incluyendo sus faltas. Otra forma de expresar aceptación es decir: "Eres una persona agradable". "Me gusta la forma como haces las cosas". "Tú eres exactamente lo que había esperado y soñado que serías como persona". Es necesario mencionar en qué forma el cónyuge ha satisfecho las esperanzas y los sueños.

Estas expresiones verbales de aceptación constituyen una parte necesaria de la vida de todos los días, cuando las cosas funcionan bien, pero son más necesarias cuando el cónyuge está lastimado. En esas ocasiones necesita escuchar palabras de aprecio y aceptación, no solamente por las cosas que ha hecho, sino por lo que él o ella es como persona.

Puede ser que al comienzo las palabras pronunciadas no parezcan tener mucha sinceridad, porque requiere tiempo alcanzar la medida plena de una aceptación total. Pero se puede obrar por principio, y porque en esa forma se satisface una necesidad humana. Se encontrará que cuanto más se expresa aceptación tanto más fácil resultará aceptar plenamente al cónyuge.

¿Es necesario aceptarlo todo?

¿Debiera un cónyuge convertirse en un esclavo a través de la aceptación? ¿Tiene que aceptarlo todo? No. Eso significaría negar el hecho de que es una persona que debe ser respetada por derecho propio, que es un ser humano con una voluntad propia.

Ejemplo: no necesita aceptar la infidelidad. Los cónyuges tienen el derecho de esperar una estricta fidelidad aun en esta época cuando están subestimados los valores morales. La Palabra de Dios, como las leyes del país, respaldan esta posición. Tanto el esposo como la esposa, en los países donde es permitido, pueden ejercer el derecho de divorciarse cuando ha habido adulterio, pero un inventario personal completo puede salvar numerosos matrimonios afectados por el adulterio. El cónyuge inocente puede rescatar su matrimonio a punto de destruirse si se lo propone seriamente. Considerada esta cuestión desde el punto de vista religioso, la Biblia *permite* pero no *ordena* el divorcio en caso de adulterio. Otras situaciones pueden girar en torno a delitos serios, tal como el incesto, la homosexualidad, el lesbianismo, el abandono del hogar, la negativa a sostener financieramente el hogar, incapacidad mental y castigo físico. Estas situaciones requieren atención individual y consejo profesional.

Resulta difícil comportarse dentro de los valores cristianos bajo ciertas circunstancias, pero Dios desea que manifestemos amor aun cuando no somos amados. Debiéramos considerar un comportamiento no aceptable en la forma como Dios lo considera. El rechaza el pecado pero ama al pecador, y nosotros podemos tener la misma actitud: rechazar un comportamiento inaceptable en nuestros cónyuges pero sin dejar de amarlos a ellos.

Palabras finales

Nuestro deseo más intenso en el matrimonio debiera ser crear la mejor relación posible entre dos seres humanos diferentes y con rasgos de personalidad individuales. Ambos debieran tratar de cambiar lo que sea necesario y de efectuar las correcciones convenientes. Aun así es posible que sigan presentándose numerosas imperfecciones. Después de haber hecho los esfuerzos necesarios para solucionar los problemas, cada cónyuge debiera aceptar la realidad en la forma más positiva posible. La buena salud mental depende de nuestra habilidad de aceptar las circunstancias que no podemos cambiar. Las situaciones negativas que se encuentran fuera de nuestro control pueden abrumarnos si se lo permitimos, o bien podemos ejercer nuestro poder de voluntad y resolver sacar el mejor partido de las circunstancias difíciles.

Nadie podrá satisfacer completamente nuestras necesidades o sueños. Por lo tanto, ambos cónyuges debieran llevar a cabo la unidad marital en base a la realidad. Entonces, el éxito en el matrimonio no consiste tanto en alcanzar la perfección, como en mantener una perspectiva saludable en las diferencias imposibles de resolver.

"Una de las razones más evidentes que explican el fracaso matrimonial, es que tanto el esposo como la esposa suponen que porque han obtenido una licencia para casarse, tienen garantizado el éxito. Si debido a la presunción se olvidan de los actos de cortesía que les permitieron ganarse mutuamente, probablemente destruirán su matrimonio".

–Clovis G. Chappell.

Contenido del Capítulo

- **I. Aprecio**
  - A. La necesidad de aprecio es uno de los impulsos más profundos del ser humano
  - B. Necesidad de aprecio del hombre
    1. Es diferente de la necesidad de la mujer
    2. Admire lo siguiente en él:
       - a. Sus características físicas
         - i. Su masculinidad
         - ii. Sus habilidades deportivas y su manera masculina de vestirse
       - b. Sus características mentales
         - i. Realizaciones, habilidades y destrezas
         - ii. Dedicación al trabajo, agresividad
       - c. Características espirituales
         - i. Normas y aspiraciones elevadas
         - ii. Obras nobles y sentido del honor y del deber

Capítulo 4

Aprecie a su Cónyuge

Cierta vez, en un seminario para matrimonios, pedí a los asistentes que escribieran por lo menos diez puntos positivos acerca de sus cónyuges. Ofrecí un premio al que terminara la tarea primero. Al cabo de un rato se presentó el ganador. En esa ocasión quedé asombrada al ver la gran cantidad de esposos y esposas que no habían conseguido anotar ni siquiera un rasgo positivo de sus cónyuges. ¡Imaginen lo que significa estar casado o casada con una persona y ser incapaz o bien no querer registrar ni siquiera un rasgo de carácter digno de alabanza! Sin embargo, la necesidad de sentirse apreciado es una de las más profundas que pueda experimentar el ser humano.

En medio de los quehaceres cotidianos de la vida matrimonial, nos sentimos inclinados a no considerar con seriedad a nuestros cónyuges. Ya no nos llaman la atención sus virtudes ni los rasgos positivos de su carácter. Cada vez resulta más fácil atacar los errores y las debilidades que nos irritan. Pocas veces mencionamos las cualidades dignas de encomio y en cambio destacamos los rasgos sin importancia que producen irritaciones.

C. Necesidad de aprecio de la mujer
   1. Admire lo siguiente en ella:
      a. Sus habilidades como dueña de casa
      b. Su dedicación al cuidado de los hijos
      c. Sus cualidades atractivas
   2. Lo que hace para llamar la atención
      a. Ataques de llanto
      b. Escenas dramáticas
      c. Afecciones físicas
   3. Formas de mostrar aprecio a la mujer

II. Cómo desarrollar la actitud de aprecio
   A. Estudie a su cónyuge
   B. Observe a su cónyuge
   C. Escuche a su cónyuge

III. Expresión de aprecio
   A. Cómo expresar aprecio
      1. Expréselo verbalmente
      2. Identifique una cualidad específica
   B. El efecto del aprecio
      1. Cambia el comportamiento
      2. Refuerza la autoimagen positiva

Exprese admiración por su esposo

La admiración y la aprobación satisfacen una de las necesidades básicas del hombre. Las mujeres necesitan ser amadas. Los hombres necesitan admiración. "Si usted desea que su marido siga amándola —dice Ruth Peale a las esposas—, debe hacer lo siguiente: apreciarlo y hacerle saber que lo aprecia". Este sabio consejo puesto en práctica podrá salvar más de un matrimonio.

Hace poco una amiga me hizo el siguiente comentario acerca del punto que acabamos de mencionar: "Nancy —me dijo Bárbara—, ésta es la lección más importante que he aprendido de tus clases. No comprendía la necesidad que mi marido tenía de ser admirado. Al considerar los hechos pasados de nuestro matrimonio, ahora puedo ver que en diversas ocasiones herí profundamente su dignidad, al ignorar sus habilidades y al no tratarlo con la admiración que merecía".

Bárbara es una mujer muy atractiva y una eficiente dueña de casa. Pero ahora es una divorciada solitaria. Bárbara perdió a su esposo y otra mujer lo ganó, porque supo proporcionarle la admiración que él necesitaba.

Un esposo resentido escribió a un diario en el que se publica una columna sobre consejos matrimoniales, una carta en la que decía que había sido elegido presidente de una cámara de comercio. "No recuerdo haber trabajado con tanto entusiasmo y dedicación en ninguna otra cosa, como en la preparación de mi discurso de aceptación del cargo. Presenté mi discurso en el banquete que se llevó a cabo en mi honor, al que asistieron todos los miembros de la cámara, sus esposas y visitas. Una vez concluido mi discurso, muchos de mis amigos me rodearon y me estrecharon la mano para felicitarme por lo bien que lo había hecho. Naturalmente, me sentí muy halagado. Pero la persona cuyo elogio más deseaba, no dijo ni una palabra. Era mi esposa. Puede ser que esto parezca algo insignificante, pero fue el comienzo de mi búsqueda de 'aprecio' ".

Un hombre aprecia el honor y los aplausos de otras personas, pero hay alguien a quien desea impresionar más que a sus asociados, amigos o vecinos: su esposa. Por eso ella debe preocuparse de encontrar en la vida y la actuación de él cuáles son las cosas que puede encomiar sinceramente.

Para muchos hombres los atributos físicos son muy importantes; desean que se admire sus cualidades masculinas. Si su esposo se siente de este modo, admire su fuerza y su físico aun cuando realice trabajos comunes. Una joven esposa contó en una clase que su marido detestaba encargarse del cuidado del patio de la casa, pero después de hacerle algunos comentarios acerca de sus músculos mientras cortaba el césped, ya no tuvo más problemas.

Un esposo que prefiere permanecer en el anonimato escribió los siguientes versos acerca de la admiración:

Su valor y su dedicación al trabajo de su vida también merecen ser admirados. ¿Y qué se puede decir del dinero que gana y lleva al hogar regularmente? Muchas esposas aceptan el apoyo financiero durante toda la vida sin apreciarlo debidamente. Tome en cuenta lo que él desea hacer con sus talentos especiales, con sus aptitudes y habilidades. Unos amigos nuestros poseen una casa de campo cerca de un lago, y con frecuencia varias familias nos reunimos en ella los fines de semana. Ricardo, nuestro anfitrión, siempre prepara una comida en la cual se espe-

COMPROBACION DE UNA ACTITUD BONDADOSA

Si usted se ha dado cuenta de que en el pasado ha sido cáustico (a), sarcástico (a) o cortante en su comunicación con su cónyuge, en el futuro haga comprobaciones acerca de su actitud bondadosa. Es decir, cada vez que diga algo a su cónyuge, pregúntese: "¿Se lo dije con bondad?" Si no ha hablado con bondad, pida disculpas y ruegue a Dios que le ayude a tratar a su cónyuge con bondad.

Es verdad que ésta no es una tarea fácil. Puede resultarle difícil, especialmente la primera semana. Pero si usted practica esto constantemente, desaparecerá en su hogar la comunicación cáustica y desagradable, y así se renovarán sus afectos por su cónyuge y aumentará la felicidad.

Anote su progreso en esta hoja de comprobación de su actitud bondadosa después de una, dos, tres y cuatro semanas.

1. ______________________ 2. ______________________

3. ______________________ 4. ______________________

El apóstol San Pablo recomienda: "Sed benignos unos con otros, misericordiosos, perdonándoos unos a otros, como Dios también os perdonó a vosotros en Cristo" (Efesios 4:32). ¿Se han puesto en evidencia estas actitudes en su hogar? ¿Qué significa ser bondadosos unos con otros? ¿Cómo podemos manifestar bondad hacia nuestro cónyuge en el matrimonio?

En las líneas que siguen anote la forma como usted cree que puede poner en práctica este pasaje bíblico en su vida matrimonial durante la semana siguiente.

____

____

____

____

cializa: tortilla rellena con hongos, aceitunas y queso, servida con pan de queso cuya receta él mismo ha inventado. Talentos como éste merecen ser reconocidos. Ya sea que un hombre posea facilidades mecánicas, sea bueno para las matemáticas o le guste la lectura, su esposa debiera preocuparse siempre de satisfacer sus necesidades de aprecio.

¿La deja él en libertad para desarrollar sus propios intereses? ¿Comparte con usted el automóvil? ¿Le ayuda ocasionalmente a lavar los platos y las ollas? ¿Se abstiene de criticarla cuando usted no tiene la comida a tiempo? ¿Recuerda habitualmente los aniversarios y cumpleaños? También estas cortesías requieren que se las aprecie. ¿Dedica tiempo y energía a ser un mejor esposo y un buen padre? Si él lleva a su hijito consigo al almacén cuando debe ir a comprar algo, para aliviarla a usted durante un rato, su aprecio de esta acción reforzará en su esposo el deseo de pasar tiempo con su hijo.

En este capítulo se anima a los esposos a sorprender y encantar a sus esposas ofreciéndoles pequeños regalos de vez en cuando. Sin embargo, una mujer puede desalentar los esfuerzos de su marido por complacerla mediante obsequios, demostrando su ingratitud a través de manifestaciones de descontento y crítica. Puedo decir que a mí misma me llevó un tiempo acostumbrarme a recibir regalos de mi esposo. Soy por naturaleza una mujer práctica y ahorrativa, y debido a eso me preocupo por las finanzas cuando recibo un obsequio que me parece caro. Por ejemplo, cierta vez, en ocasión de nuestro aniversario de bodas, me regaló una plancha de vapor cara. Debido a que nuestro aniversario viene casi inmediatamente después de la Navidad, le dije que no había sido sensato hacerme ese obsequio, cuando acababa de gastar considerablemente en los regalos de Navidad. Mi madre, que nos acompañaba durante esos días de fiesta, escuchó mi comentario y me llamó a su lado para enseñarme una lección que yo todavía no había aprendido.

Devolver un presente que se ha recibido del cónyuge, cambiarlo por alguna otra cosa, o dejarlo a un lado sin utilizarlo, son faltas de cortesía inexplicables. Sin embargo, un vestido recibido de regalo que queda grande o chico, puede cambiarse por otro de talla adecuada. Si a usted no le gusta algo, úselo durante un tiempo y luego déjelo de

lado. El principio que aquí deseamos destacar es apreciar a la persona que hace el obsequio más que al obsequio mismo. Elija adecuadamente las palabras con las que desea manifestar aprecio por la consideración que lo llevó a hacerle el regalo.

Aprecie a su esposa

También las mujeres tienen una necesidad natural de recibir aprecio, lo cual no todos los hombres comprenden. Un hombre siente orgullo por la profesión que practica y es recompensado periódicamente con aumentos de sueldo, promociones y bonos. En cambio, el trabajo de la mujer se concentra principalmente en la realización de las tareas del hogar, en la atención de los hijos y del esposo. Pero por esas actividades ella no puede esperar promociones, aumentos de sueldo ni bonos. Sin embargo, muchas veces unas pocas palabras de aprecio pronunciadas por su marido contribuirán a mitigar las irritaciones causadas durante el día por la repetición de esos quehaceres.

Cuando una mujer no se siente apreciada, puede deliberadamente hacer algo para llamar la atención. Más de una rabieta, ataque de llanto o escena cargada de emoción puede muy bien ser un desesperado intento por llamar la atención. Otras mujeres padecen de dolores de cabeza, mareos, dolores de espalda y fatiga interminable como recursos para ser notadas. Sus cónyuges podrían ahorrarse una pequeña fortuna en gastos médicos mediante el sencillo recurso de decirles algunas palabras oportunas de amor y aprecio, juntamente con un ramo de flores.

Durante nuestro noviazgo, no podría haber pedido más del que ahora es mi esposo en lo que se refiere a atenciones románticas: flores, llamadas de larga distancia, cartas todos los días, fotografías, tarjetas, cenas. *Y continúa haciendo lo mismo hasta hoy.* Nunca se ha olvidado de un cumpleaños o de un aniversario; tampoco del día de la madre ni de otras ocasiones semejantes. Pero él no me recuerda únicamente en esas ocasiones tradicionales. Le encanta sorprenderme. Una noche cuando había invitado a un grupo de amigos a casa, una gran caja envuelta en hermoso papel de regalo apareció en la mesa de la cocina. No había nada que cele-

ELOGIE A SU ESPOSA

(Plan de acción para él)

En el caso de la mujer, la magia de un regalo se encuentra en el gozo de la sorpresa y la anticipación más que en su contenido. Los regalos que haga a su esposa no deben ser caros, pero deben adaptarse a la personalidad de ella. Si usted conoce bien a su esposa, sus gustos e inclinaciones, podrá hacerle un regalo que verdaderamente apreciará y que se adaptará a su manera de ser. En esa forma verá que usted está consciente de lo que a ella le gusta y de lo que necesita. Será una forma excelente de comunicarle su amor.

DIGALO CON FLORES. Vaya a una florería y elija una rosa de tallo largo, y entréguesela cuando salga a abrirle la puerta o bien durante la hora de la comida, y haga este comentario: "Pensé en ti hoy y compré esta flor para decirte que te amo".

LLAMELA POR TELEFONO TRES VECES ESTA SEMANA. No porque tenga algo definido que decirle, sino solamente para expresarle: "Te amo y me alegro de haberme casado contigo".

HAGA USTED MISMO UNA TARJETA DE ANIVERSARIO O CUMPLEAÑOS. No es necesario comprar siempre una tarjeta. Aunque no sea perfecta la que usted haga, su esposa la apreciará sinceramente.

Recuerde que la magia de un regalo consiste en que su esposa sabrá que usted pensó y se preocupó de ella en un momento cuando ella no lo esperaba. Marque en su calendario algunas "fechas que debo recordar" para los próximos seis meses, y en esas ocasiones hágale un regalo especial a su esposa. Quedará muy complacido con lo que le sucederá a usted y a su esposa.

A continuación anote algunas formas específicas y creativas como puede expresar aprecio a su esposa:

1. ____________________
2. ____________________
3. ____________________
4. ____________________
5. ____________________

brar, pero mi esposo me la había dejado porque le agrada sorprenderme.

Cuando vuelvo a casa después de un viaje, él me va a buscar al aeropuerto, y siempre encuentro en el asiento del auto una tarjeta de bienvenida al hogar y algún pequeño obsequio. Luego, cuando llego al hogar siempre encuentro algo que muestra que mi esposo había estado pensando en mí.

Mi atento y considerado esposo, no sólo me está manteniendo feliz, sino además está dando un buen ejemplo a nuestros hijos adolescentes. El ejemplo continuo de mi marido contribuirá a dar al mundo otros dos hombres que comprenderán las necesidades de las mujeres y que llegarán a ser buenos esposos y padres.

La esposa también necesita escuchar repetidamente de labios de su esposo que es atractiva. Siempre será adecuado decir un cumplido acerca del cabello, la figura o el vestido de la esposa. Esto es especialmente necesario después que ella ha cumplido los cuarenta años. No se puede ignorar el hecho de que una mujer joven puede resultar atractiva tanto para los jóvenes como para los hombres de más edad. Una mujer reconoce penosamente el efecto de los años sobre su rostro, cabello y figura. Por lo tanto necesita que se le recuerde que todavía es encantadora, interesante y sexualmente atractiva.

Muchas mujeres se quejan de que sus esposos les demuestran atención o afecto únicamente cuando desean tener relaciones sexuales. Una esposa que recibe atención solamente durante las relaciones íntimas podría llegar a rechazar a su marido y al contacto sexual. Por eso un hombre que desee que su esposa aprecie sus insinuaciones sexuales, debería con frecuencia tomarle la mano mientras van en el auto, mientras caminan o en otro momento, y sonreírle en forma especial. Cuando se encuentran en compañía de otras personas, puede hacerla objeto de manifestaciones de cariño o reconocer públicamente sus habilidades. Los esposos considerados y dedicados a promover la felicidad y el bienestar de sus esposas se preocupan de satisfacer esta legítima necesidad femenina de recibir aprecio. ¡Cuesta tan poco, y puede remediar tanto!

Cómo llegar a ser una persona más apreciativa

Estudie a su cónyuge. La Sra. Ruth Peale ha dicho: "Si tuviera que dar un solo consejo a las jóvenes novias, sería éste: 'Estudie a su novio y esposo... Estudie lo que le gusta y lo que no le gusta, sus puntos fuertes y sus debilidades, su disposición de ánimo y sus peculiaridades. Está bien amar a un hombre, pero no es suficiente. Para vivir exito-

ELOGIE A SU ESPOSO

(Plan de acción para ella)

Es probable que usted haya intentado cambiar las actitudes negativas de su marido por otras positivas, y tal vez también haya reconocido sus cualidades positivas. Veamos a continuación en qué forma usted puede elogiar a su esposo. Las siguientes ideas le ayudarán a comenzar.

HAGA UNA VOTACION. Dígale a su marido que acaba de ser designado "esposo y padre del año" en una votación llevada a cabo por usted y sus hijos.

COMPRE UNA TARJETA INTERESANTE PARA EL. Esa tarjeta debe expresar lo que usted siente por él. Envíesela por correo o entréguesela personalmente.

ELOGIELO. Reconozca su capacidad, su inteligencia, su fuerza, sus habilidades, la manera de atender a sus hijos, su conversación o cualquier cosa que él haga bien.

A continuación haga una lista de algunas formas específicas y creativas como usted puede expresar aprecio a su marido:

1. ________________________________

2. ________________________________

3. ________________________________

4. ________________________________

5. ________________________________

samente con un hombre es necesario conocerlo, y para conocerlo hay que estudiarlo' ".

Este es un buen consejo para ambos cónyuges. Cuando uno lleva a cabo un estudio de esta clase, se llegan a conocer las cosas que perturban al cónyuge y también las que lo hacen reír. Se llega a comprender cuándo el cónyuge necesita que se lo anime, como también cuándo necesita que se lo calme y se lo ayude a reflexionar en forma más racional.

Nunca se debe dejar de estudiar al cónyuge, porque si se lo hace, se estará en desventaja, ya que el otro continuará aumentando su conocimiento acerca de su cónyuge. El que prosigue estudiando la personalidad del otro, con el tiempo llegará a conocerlo tan bien como se conoce a sí mismo.

Las cortes de justicia que tratan los casos de divorcio están llenas de esposos y esposas que no tomaron tiempo, que no emplearon energía o que no se preocuparon de estudiar a sus cónyuges. Dejaron de satisfacer las necesidades y de observar ciertas señales de advertencia mientras todavía tenían tiempo de tomar decisiones constructivas concernientes a su relación matrimonial.

Observe a su cónyuge. Desarrolle su capacidad de observación con el fin de apreciar en su cónyuge nuevas actitudes y habilidades, y también cualidades potenciales cuyo desarrollo usted puede estimular. Olvídese del yo y considere las cosas desde otro punto de vista. A medida que aumente el grado de aceptación en usted, podrá comprender por qué su cónyuge actúa y piensa en forma diferente. A medida que usted se torne más comprensivo o comprensiva, tendrá acceso en mayor grado a la intimidad de la personalidad de su cónyuge y con eso aumentará su comprensión de él o de ella.

Demuéstrese dispuesto o dispuesta a participar, por lo menos ocasionalmente, en actividades que resultan placenteras a su cónyuge. A las esposas les encantaría que sus maridos se interesaran en sus proyectos de decoración de la casa, en las actividades de la escuela y la iglesia, o que las acompañaran cuando van de compras. A los maridos les interesan los deportes, la jardinería, los autos deportivos y otras actividades similares, pero estas cosas resultan aburridas para la mayor parte de las esposas; sin embargo harían bien en mostrar cierto grado de interés en ellas.

Escuche a su cónyuge. La conversación constituye un medio admirable para descubrirse mutuamente. Nos agrada tener una persona con quien podamos compartir nuestras ideas, esperanzas, sueños, ambiciones, problemas, y conflictos interiores que no podemos resolver solos. Todos necesitamos a alguien a quien confiarle nuestros pensamientos y sentimientos más íntimos sin sentir temor de ser ridiculizados o rechazados. Demuestre interés y haga preguntas que su cónyuge se alegrará de contestar. A todos nos gusta tener alguien que nos escuche.

Cómo expresar aprecio

Expréselo con palabras. Para algunas personas el amor y el aprecio son sentimientos y actitudes, de modo que no saben cómo expresarlos en palabras. Otras personas no los expresan porque suponen que sus cónyuges reconocen su manera de pensar, como si fueran capaces de leer la mente.

En una ocasión se reunieron cientos de esposos y esposas en grupos pequeños. Allí hablaron francamente, algunos de ellos por primera vez en su vida de casados, acerca de las cualidades que apreciaban en sus cónyuges. "Fue algo asombroso —dijo una joven esposa—. Pedro y yo siempre habíamos supuesto que nos amábamos. Pero cuando expresamos cómo nos sentíamos interiormente y por qué creíamos que nos amábamos, descubrimos que nuestro amor era mucho más profundo de lo que nos habíamos imaginado".

Puede ser que al comienzo usted sienta cierta incomodidad al expresar su aprecio con palabras, pero siga haciéndolo. Su cónyuge necesita enterarse de lo que usted siente realmente en su interioridad. Es probable que usted piense que ya ha estado manifestando aprecio en otras formas, ocupándose del arreglo de la casa, preparando la comida, trayendo dinero para satisfacer las necesidades de la familia, o de otro modo. Pero esas acciones no pueden reemplazar la necesidad de que su aprecio sea expresado con palabras.

Identifique una cualidad específica. Cuando exprese admiración o aprecio, evite hablar en forma general, porque eso puede confundir sin expresar claramente a qué se está refiriendo. Por ejemplo, cierta vez una esposa le dijo a su marido que pensaba que él era "varonil". Cuando el esposo le pidió que aclarara a qué se refería exactamente, ella no pudo mencionarle ninguna cualidad específica. Por eso es mejor expresar aprecio por un hecho en particular o una característica definida, como ser un peinado, una cortesía, un abrigo nuevo, la figura de la esposa. En esta forma se entenderá claramente lo que se quiere decir, no habrá confusión, y no se harán preguntas aclaratorias.

Evite la adulación. La adulación y el aprecio son cosas diferentes. El aprecio es sincero, no manifiesta egoísmo y es universalmente admirado. En cambio, la adulación no es sincera, revela egoísmo y es universalmente condenada. Alguien dijo: "No tengas miedo de los enemigos que te atacan. En cambio debes temer a los que te adulan". El aprecio y la alabanza sincera se basan en rasgos de carácter y en acciones.

Diga palabras de elogio todos los días. Haga todo lo posible por tener la reputación de que usted es un cónyuge apreciativo. No deje pasar un solo día sin admirar alguna buena cualidad en cada miembro de la familia. La expresión diaria de afecto y aprecio es una de las técnicas más eficaces para suavizar las asperezas de la vida familiar.

Los efectos del aprecio

El aprecio es un estímulo poderoso que contribuye a hacer cambiar el comportamiento. ¿En qué forma obra? Según una antigua fábula, el viento y el sol comenzaron a pelearse para determinar cuál de los dos era más poderoso. El viento dijo: "Te voy a probar que yo soy más poderoso que tú. ¿Ves aquel anciano que lleva puesto un abrigo? Te apuesto que puedo quitárselo más rápido que tú". De modo que el sol, se ocultó detrás de una nube y el viento comenzó a soplar con gran violencia, pero cuanto más soplaba más se aferraba el hombre a su abrigo. Finalmente el viento se calmó y abandonó sus esfuerzos. Cuando el sol reapareció de detrás de las nubes y le sonrió al anciano con su luz y su calor, éste se quitó el abrigo. Entonces el sol le dijo al viento: "La bondad, la amabilidad y la amistad son más poderosas que la furia y la violencia".

Ayuda a cambiar el comportamiento. En lugar de criticar cuando su cónyuge hace algo que a usted no le gusta, haga comentarios favorables cuando dice o hace algo que usted puede aprobar. Esta técnica, denominada "refuerzo positivo", también resulta muy eficaz en el trato con los niños.

El poeta Robert Browning sabía cómo utilizar prácticamente el refuerzo positivo. Su amor y aprecio por Elizabeth Barrett se convirtió en una actividad dominante de su vida. Elizabeth pertenecía a una familia que tenía once hijos y un padre opresivo y tiránico. Las manifestaciones de ira y el estricto control del padre hicieron que Elizabeth se enfermara y tuviera que guardar cama debido a diversas dolencias. Así pasó su vida hasta la edad de cuarenta años, cuando conoció a Robert Browning. El no la vio como una mujer enferma e inválida, sino más bien como una mujer hermosa, con mucho talento, esperando que alguien la sacara del cuarto oscuro donde se encontraba y la colocara a la luz del sol. Le ayudó a desarrollar capacidades que no se veían a primera vista, a florecer y a ser conocida por el mundo. La sacó de una existencia enfermiza, debido a que supo apreciar sus hermosas cualidades y reconocer el potencial que yacía oculto para la vista de otros. Elizabeth Barrett se convirtió en una famosa escritora y poetisa. Una de sus hermosas poesías se titula "¿Cómo te amo?", y constituye una descripción de la transformación que Robert Browning le ayudó a llevar a cabo en su vida.

Una esposa se quejaba de que su marido era tan desconsiderado y estaba tan absorbido por sus negocios, que muchas veces ni siquiera se acordaba de su cumpleaños. "Habría podido intentar hacerlo cambiar por la fuerza —dijo ella—, pero me pareció que eso únicamente empeoraría la situación. En cambio, esperé hasta la primera oportunidad que tuve para alabarlo por algún pequeño acto de consideración. Cuando finalmente me trajo un libro que le había pedido cuatro veces, se lo agradecí como si me hubiera traído un abrigo de pieles. Me miró con curiosidad, pero pude ver que se encontraba complacido. Hice lo mismo unas cuantas veces, y poco a poco él comenzó a querer pensar en mí porque le agradaba escuchar mis expresiones de aprecio".

Su cónyuge responderá en la misma forma. En lugar de criticarlo porque no saca el cajón de la basura a la calle, pídale que le preste sus fuertes brazos. En lugar de rezongar cuando se le cae un botón de la camisa, dígale a su esposa que es una admirable dueña de casa. Estas tácticas inducen a otros a tratar de hacer lo mejor posible.

Refuerza una idea positiva de sí mismo. Los esposos necesitan tener alguien con quien compartir sus ideas acerca de cómo debieran ser las cosas. Necesitan evaluar las respuestas de sus esposas. Necesitan a alguien que confirme sus ideas en conformidad con el concepto que ellos tienen de sí mismos. Esta confirmación, cuando procede de alguien que los aprecia, refuerza su imagen psicológica y los hace sentirse con más confianza y más seguros.

Necesitan esta aprobación especialmente los esposos jóvenes que están iniciando sus carreras. Como están llenos de ideas, propuestas, confianza y entusiasmo, rápidamente captan los métodos anticuados de hacer las cosas. Se desviven por demostrar que existe una forma mejor de hacerlo, pero con frecuencia sus colegas pueden encontrarse demasiado ocupados con sus propios planes o bien pueden no apreciar las nuevas ideas. Estos esposos jóvenes necesitan a alguien que refuerce su imagen mental de sí mismos, y eso lo conseguirán mejor en el hogar que en otra parte.

También las esposas necesitan recibir aprecio para formar una idea correcta de lo que realmente valen. Las responsabilidades tradicionales de las mujeres a veces no son bien apreciadas. En algunos lugares hay críticos que consideran a las mujeres que crían hijos y se dedican al cuidado del hogar, como ciudadanas de segunda clase. ¡No podrían estar más equivocados! Como resultado de esto, mujeres que se encuentran dedicadas al cumplimiento de sus responsabilidades, con frecuencia comienzan a sentir que hay algo que anda mal en ellas, que son incapaces o innecesarias para la sociedad. Las dueñas de casa deben saber que son respetadas y apreciadas por la contribución que efectúan a la sociedad al criar hijos responsables, al enseñarles a respetar a los demás y al prepararlos para una vida adulta de éxito. No hay nada mejor para establecer el respeto de una mujer por ella misma que el reconocimiento que el esposo pueda darle como una persona de valor, esposa, madre y dueña de casa.

En el matrimonio, los cónyuges reaccionan constantemente a los estímulos que el uno efectúa para el otro. Reaccionan en forma positiva, negativa o indiferente. Tienen la habilidad de curarse mutuamente las heridas emocionales o bien de herirse mutuamente. Pueden restaurarse o agotarse mutuamente, o bien ayudarse o estorbarse mutuamente. Pueden hacer que sus cónyuges se sientan importantes, con vida y dignos, o por el contrario pueden hacer que se sientan inadecuados o inútiles. El mejor método que se puede usar para curar, restaurar y ayudar, es el empleo de la aprobación.

"El sistema de comunicación
constituye el corazón mismo del matrimonio.
Se puede decir que el éxito y la felicidad
de cualquier pareja conyugal es susceptible
de medirse en términos de la profundidad
del diálogo que caracteriza su unión".
–Dwight Small.

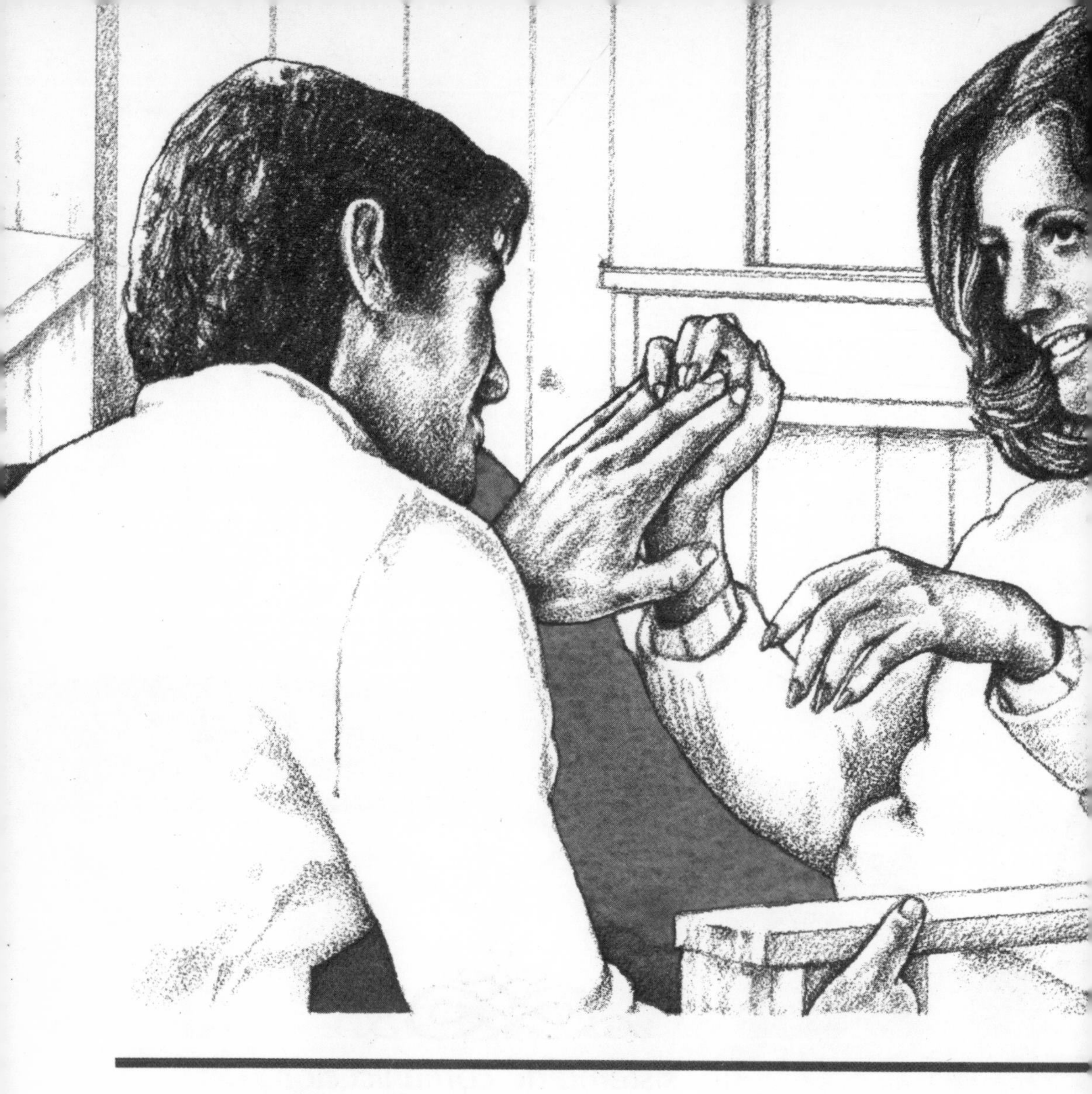

Contenido del Capítulo

Capítulo 5

La Comunicación con el Cónyuge

"No entiendo lo que nos ha sucedido —explica Jorge—. Antes de casarnos teníamos tantas cosas de que hablar. Ahora no conversamos casi nunca. Juana dice que yo jamás le digo nada, y si tratara de decirle algo, tampoco me escucharía. No se interesa en ninguna de las cosas que a mí me gustan".

Los expertos sostienen que uno de los problemas más graves del matrimonio y la causa principal del divorcio yacen en la incapacidad o falta de deseo de los cónyuges de comunicarse. Numerosas parejas matrimoniales saben que no se están comunicando, pero no están seguras de qué es lo que deben o no deben hacer con respecto a este problema. Aunque la comunicación es un proceso múltiple, no es complicado.

La comunicación en el matrimonio es completa cuando una pareja logra poner en práctica en forma constante los tres principios que siguen: (1) cuando pueden utilizar en forma eficaz las reglas fundamentales que rigen la conversación, tanto para hablar como para escuchar; (2) cuando pueden resolver los conflictos mediante métodos constructivos; (3) cuando dedican tiempo cada día a compartir sus sentimientos íntimos.

---

3. El oyente defensivo
4. El oyente que interrumpe
5. El oyente indiferente

B. Métodos eficaces que ayudan a escuchar

C. Reglas eficaces del arte de escuchar
1. Mantenga contacto ocular adecuado
2. Manifieste atención
3. Muéstrese interesado
4. Muestre acuerdo y comprensión
5. Haga preguntas inteligentes
6. Escuche más y hable menos

IV. Cómo resolver los conflictos

A. Reglas para resolver los conflictos en forma constructiva
1. Elija el momento y el lugar más adecuados
2. Dígalo directamente
3. No se salga del tema
4. Muestre respeto
5. Enumere las soluciones
6. Evalúe las soluciones
7. Elija la solución más aceptable
8. Ponga en práctica la decisión

V. La comunicación íntima

LOS CINCO NIVELES DE LA COMUNICACION

John Powell, en su libro *Why I Am Afraid to Tell you Who I Am* [Por qué temo decirte quién soy], describe cinco niveles de comunicación, que es importante comprender.

Nivel 5: *Conversación trivial.* En este nivel se lleva a cabo una conversación común y corriente: "¿Cómo estás?" "¿Qué has estado haciendo?" "¿Te sientes bien?" Esta conversación tiene muy poco sentido, pero es mejor que guardar silencio. Cuando la comunicación permanece en este nivel se torna aburrida y genera frustración y resentimiento en el matrimonio.

Nivel 4: *Conversación acerca de hechos.* En este nivel se comparte información, pero sin efectuar comentarios personales. Se dice lo que ha ocurrido pero sin expresar la forma de sentir. Una esposa puede ver que su marido sale de la casa después del almuerzo, y le pregunta: "¿Adónde vas?" El puede darle una respuesta neutra: "Voy a la oficina". Los hombres, más que las mujeres, mantienen este nivel de comunicación, puesto que se sienten menos inclinados a comunicar sus sentimientos.

Nivel 3: *Ideas y opiniones.* Aquí comienza la verdadera intimidad porque en este nivel se pueden exponer más fácilmente los pensamientos, los sentimientos y las opiniones. Debido a que usted se siente libre para expresarse y verbalizar ideas personales, su cónyuge tiene mejor oportunidad de conocerlo íntimamente.

Nivel 2: *Sentimientos y emociones.* La comunicación en este nivel describe lo que está ocurriendo en el interior de la persona y revela lo que siente acerca del cónyuge o una situación cualquiera. Se expresan sentimientos de frustración, enojo, resentimiento o felicidad. Si usted comparte sinceramente con su cónyuge sus experiencias, y muestra interés en sus sentimientos, tanto como en expresar los suyos propios, en este nivel se enriquecerá y ampliará su relación mutua. Se sentirá digno, amado, apreciado y seguro en los afectos de su cónyuge. Comprenderá mejor el carácter de su cónyuge y la forma como piensa y siente. Una buena combinación consiste en alternar entre los niveles de ideas y opiniones, y de sentimientos y emociones.

Nivel 1: *Captación profunda.* En la relación conyugal se producirán momentos de captación profunda de la intimidad del otro cuando los cónyuges armonizan perfectamente en comprensión, satisfacción de la vida afectiva y participación de ideales comunes. La comunicación de estas experiencias personales con frecuencia causa una profunda impresión en los cónyuges y enriquece su relación. El acto de compartir mutuamente las ideas y sentimientos personales es el objetivo final de la comunicación matrimonial.

¿Qué nivel de comunicación existe en su matrimonio en este momento? ¿Desea usted y necesita compartir sus experiencias en un nivel más profundo e íntimo?

Qué es la comunicación

Con frecuencia suponemos que cuando se mueven los labios de una persona se está produciendo una comunicación. Pero la conversación es una actividad que se lleva a cabo entre dos personas, y comprende dar y recibir información. Además, no se trata solamente de hablar. Se trata, además, de recibir y escuchar la información. A este doble proceso debiéramos añadir una tercera dimensión: la comprensión. Con frecuencia pensamos que entendemos lo que nuestro cónyuge nos está diciendo, pero suele suceder que lo que escuchamos no es lo que la otra persona intentaba decirnos. No queremos solamente que la otra persona escuche lo que tenemos que decirle sino que también lo comprenda.

Conversación y comunicación

Se calcula que pasamos aproximadamente setenta por ciento de nuestras horas de vigilia en alguna forma de comunicación: hablando o escuchando, leyendo o escribiendo, o efectuando otras actividades semejantes. La tercera parte de ese tiempo se dedica a hablar. Esto es muy importante porque la conversación une a las personas.

Conversar consiste en algo más que en el mero intercambio de palabras o información. Mediante la conversación podemos expresar nuestros sentimientos, dar expresión a nuestras emociones, aclarar nuestro pensamiento, reforzar nuestras ideas y establecer contacto con otras personas. Es una forma agradable de pasar el tiempo, de conocerse, de aflojar las tensiones y de expresar las opiniones propias. De modo que la función básica de la conversación no es la información, sino establecer una relación con los demás. La calidad de dicha relación dependerá en gran medida de la habilidad de cada persona para expresarse verbalmente.

Barreras que impiden la comunicación

Existen numerosas barreras que obstaculizan la conversación eficaz.

Hay cónyuges que "cargan" su conversación con órdenes e instrucciones: "Ven acá", "Cuelga tu ropa", "Apresúrate". O bien con advertencias y amenazas: "Si vuelves a hacer eso vas a ver lo que te sucederá..." En otros casos añaden sentencias moralizadoras: "Tú sabes perfectamente que no debes hacer eso". La mayor parte de nosotros nos resentimos cuando se nos dice que debemos o tenemos que hacer alguna cosa determinada.

Muchos cónyuges utilizan la humillación a pesar de que saben perfectamente cómo se siente una persona que es humillada. Los humilladores juzgan, critican y culpan: "Lo que has dicho no es una mala idea, considerando que tienes un cerebro de mosquito". Lanzan insultos, ridiculizan y avergüenzan: "Eres un vago", "Eres una mujer vulgar". Interpretan, diagnostican y psicoanalizan: "Tú dices eso únicamente porque...", "Te falla la cabeza". Tratan de enseñar e instruir: "Querido, no debiéramos dejar las toallas tiradas en el suelo".

El Dr. James Dobson habla de un "juego" que los cónyuges suelen llevar a cabo. Lo llama "Asesinato del cónyuge". En este juego destructivo, el que lo juega (generalmente el esposo, hace notar el Dr. Dobson) intenta castigar a su esposa ridiculizándola y avergonzándola delante de sus amigos. Puede herirla cuando están solos, pero en frente de los amigos puede asestarle los golpes más duros a su dignidad y orgullo. Si desea ser excepcionalmente cruel, le dice a los amigos que su esposa es estúpida y fea, que son los dos aspectos en los que ella es más vulnerable. Si puede hacerla llorar, se siente más satisfecho todavía.

Otro tipo de cónyuge es el "corrector". Por ejemplo, mientras el esposo cuenta un incidente a sus amigos, la esposa le ayuda a mantener la exactitud del relato.

—Salimos el domingo de noche... —dice el esposo.

—Oh, querido —corrige la esposa—, creo que fue el jueves de noche, justamente antes del feriado.

—Conforme, salimos el jueves después que los chicos volvieron de la escuela.

—No, querido; salimos tarde en la noche. ¿Recuerdas que los chicos regresaron a casa y tuvimos una buena cena antes de salir?

—Bueno, de todos modos salimos y manejamos directamente hasta Caracas, y luego...

—Querido, ¿estás seguro que fuimos primero a Caracas? Yo creía que...

El cónyuge corrector tiene una compulsión a insistir en la exactitud de las cosas que se cuentan. Con frecuencia esas observaciones constituyen un intento de llamar la atención hacia sí mismo, y demuestran una falta de consideración al no permitir que otra persona haga un relato en la forma en que ha percibido los hechos y tal como los recuerda.

El "juez" procura adivinar lo que vendrá después. Una esposa puede decir: "La banda de la escuela ha preparado un excelente concierto que presentará el miércoles de noche..."

El esposo no espera para saber lo que ella dirá después, sino que la interrumpe diciendo: "Sí, pero no iremos".

El "monologador" siente una necesidad compulsiva de hablar, y frecuentemente insiste en tener la última palabra. No puede soportar ser corregido, de manera que mantiene una actitud de sabelotodo. Con frecuencia los monologadores tienen una necesidad desesperada de ser populares, pero cuanto más monopolizan las conversaciones, tanto más aburren a otros y se privan de la posibilidad de establecer amistades duraderas.

El "silencioso" emplea el silencio como arma o forma de control. Tanto el esposo como la esposa usan este método, pero generalmente en forma diferente. Cuando el hombre guarda silencio ante una situación molesta, es probable que emociones fuertes como el temor o la ira se estén formando en su interior. La mujer, por regla general, utiliza el silencio para tomarse el desquite debido a alguna injusticia que se le ha infligido; utiliza el silencio cuando ha llegado al estado de completa desesperación. El tratamiento del silencio puede aplicarse porque alguien rehúsa escuchar una última vez, o bien el que guarda silencio puede haber recibido una profunda herida emocional. Algunos cristianos creen que no es correcto decir lo que se piensa. Otros recurren al silencio por amor a los hijos. Pero esta represión de las emociones afecta a la persona física, mental y espiritualmente.

El esposo silencioso, según ciertos consejeros matrimoniales, es responsable de un gran número de problemas conyugales. Muchas mujeres se quejan de que sus maridos no conversan con ellas, y de que no hay modo de conseguir que lo hagan. Estos esposos se comunican casi únicamente en lo que concierne a los hechos corrientes de la vida familiar.

Hay numerosas actitudes que motivan el silencio del esposo. Algunos hombres, especialmente los que trabajan compulsivamente, piensan que la productividad es prácticamente lo único que tiene valor en la vida. Su respuesta a todos los problemas es la acción y no la conversación. Otros hombres son tan dogmáticos y autoritarios que rehúsan hablar adicionalmente sobre un tema una vez que han dado su opinión. Existen también los que detestan referirse a las cosas que consideran triviales.

Cuando una mujer experimenta un problema o siente fuertes emociones, quisiera conversar y expresar sus sentimientos. Un hombre bajo presión emocional, por regla general se calla, cierra las puertas de la comunicación y se retira a su propio interior, porque desde niño le han enseñado a mantener el control sobre sus emociones. Se aísla de cualquier cosa que difiera de la manera en que ha sido criado. Y a medida que avanza en edad se torna más áspero, de modo que sus compañeros no logren detectar ninguna señal de blandura o emoción.

Cuando los sentimientos de un hombre son sometidos a presión, su respuesta automática consiste en rechazarlos, *especialmente en presencia de una mujer.* Si llegara a enojarse y a decirle cosas desagradables, no sería considerado un caballero. Si llorara, eso se consideraría una señal de debilidad. En consecuencia, emplea el silencio como método para escapar de sus propios sentimientos, y no logra comprender que esto enoja a su esposa, cuyo propósito es conseguir que él exteriorice sus sentimientos.

Sin embargo, pocos hombres realmente desean permanecer en silencio. Casi todos ellos encuentran placer en conversar, lo mismo que una mujer, aunque por regla general acerca de temas o cosas diferentes. Pero los regaños y las pullas o pinchazos tendrán como resultado hacer que hasta el hombre mejor intencionado se repliegue más aún dentro de sí mismo. Desea y necesita una compañera con quien sentirse seguro y a salvo del ridículo. Un hombre responderá a una mujer en quien confía.

Métodos eficaces de conversación

Un antiguo refrán dice: "Trata a tus familiares como si fueran amigos y a tus amigos como si fueran familiares". La mayor parte de nosotros necesitamos redoblar nuestros esfuerzos para hablar con tanta cortesía a nuestros

cónyuges como lo hacemos con nuestros amigos. Con frecuencia la familiaridad conduce a descuidar el trato mutuo, lo cual induce a eliminar los frenos de la cortesía y la consideración, y a decir y hacer cualquier cosa que se desea. "Después de todo —racionalizamos— se trata solamente de un miembro de la familia".

¿En qué forma se está usted comunicando con su cónyuge? ¿Está su conversación manchada por el sarcasmo hiriente? ¿Logra usted expresar lo que está pensando? ¿Muestra usted interés en su cónyuge como persona, y le dice que se preocupa de él? ¿Ha tratado usted de utilizar en su conversación mensajes en primera persona, es decir, mensajes que expresen lo que usted siente? Estos identifican sus sentimientos y les dan expresión en forma honrada, al mismo tiempo que muestran bondad hacia su cónyuge. Los mensajes en primera persona son especialmente útiles cuando uno se siente irritado con algo que ha hecho el cónyuge. En vez de responder con palabras hostiles y acciones hirientes, debemos decir: "Me siento irritado, o irritada, porque..."

Comparemos las diferentes reacciones a los siguientes dos mensajes emitidos por esposas después que sus maridos rehusaron llevarlas a comer:

Esposa N.º 1: "¡Eres tan inconsiderado! Trabajo como esclava para ti, y tú nunca piensas en mí, sino en ti mismo. Todo lo que quieres es mirar televisión. ¡Me produces disgusto!"

Esposa N.º 2: "Esta noche realmente necesito un momento de descanso. He estado encerrada toda la semana en la casa. Necesito estar a solas contigo para que podamos conversar".

La esposa N.º 2 ha expresado únicamente lo que siente, un hecho que su esposo no puede discutir. En cambio la esposa N.º 1 culpa, juzga y degrada a su esposo. Esto le proporciona municiones para establecer una discusión y probablemente lo hará todavía más empecinado y lo pondrá más a la defensiva que antes.

Los mensajes personales rápidamente eliminan la posibilidad de ataque y la necesidad de defensa porque no utilizan expresiones ofensivas ni echan la culpa al otro. Si una esposa le hace recordar a su marido en forma acusadora que él dispone de abundante tiempo para trabajar en sus propios asuntos pero que no tiene tiempo para limpiar el patio de la casa, probablemente lo único que conseguirá es que éste reaccione en la siguiente forma: "¡Ya empiezas otra vez! Lo único que sabes es fastidiarme por ese patio. Ya me tienen cansado tus sermones".

Una comunicación directa de los sentimientos de la esposa mediante un mensaje personal aliviará la situación: "Me siento mal al ver todos los días ese patio tan sucio y desarreglado. Me gustaría sentarme a conversar acerca de la forma de solucionar este problema, mientras todavía puedo controlar mi irritación". Esta esposa comunicó sus sentimientos personales sin rebajar a su marido y sin decirle lo que él tiene que hacer. Ahora él se encuentra libre para aceptar o rechazar su opinión.

Ejemplos adicionales de cómo utilizar los mensajes personales:

La esposa mira televisión en la cama en un momento cuando su marido desea dormir. "He tenido un día bastante pesado, y me siento demasiado cansado para mirar televisión contigo. Por

–¡Tú no estabas escuchando! ¡Si hubieras escuchado, te habrías puesto furioso por lo que dije!

eso ahora me pondré a dormir".

El marido se dedica a leer el diario en cuanto llega a su casa del trabajo, pero su esposa le dice: "Necesito algunos momentos de conversación íntima esta noche, porque comienzo a sentir bastante presión emocional. Realmente me gustaría que dedicáramos tiempo a conversar juntos".

Los mensajes personales producen resultados asombrosos. Los cónyuges se sorprenden al comprender la forma como sus compañeros o compañeras sienten en relación con algunos asuntos. Con frencuencia pueden responder más o menos así: "No sabía que eso te molestaba", o bien "¿Por qué no me lo dijiste antes?" Con frecuencia subestimamos la buena disposición de nuestro cónyuge a ser más considerado. Si usted quiere que realmente sus sentimientos sean tomados en cuenta, debe comunicarlos continuamente y en forma directa hasta que consiga su propósito.

El arte de escuchar

"Escuchar en forma deficiente —dice un psicoanalista—, es la causa de numerosos problemas maritales en la comunicación. A veces solamente causa fastidio o irritación. Pero cuando una persona habla acerca de algo importante, cuando trata de resolver un problema o de buscar apoyo emocional, el escuchar con actitud deficiente puede producir resultados desastrosos".

Sin embargo, la mayor parte de nosotros prefiere conversar antes que escuchar. Nos agrada expresar nuestras ideas y decir lo que conocemos y cómo sentimos acerca de distintas cuestiones. Gastamos más energía expresando nuestros propios pensamientos que prestando atención cabal cuando otros expresan los propios. Escuchar parece una cosa tan sencilla de hacer, sin embargo la mayor parte de nosotros no sabemos escuchar porque no es una tarea fácil.

¿Cuáles son algunos de los problemas que se presentan cuando uno escucha?

Una pareja fue a consultar a un consejero matrimonial porque todas sus conversaciones terminaban en discusiones. Cada noche el esposo trataba de descargarse de los acontecimientos acaecidos durante su pesado día de trabajo. Su esposa le hablaba de las dificultades que había tenido con sus tres hijos adolescentes. Ambos buscaban simpatía, apoyo y solución a sus problemas. Sin embargo ninguno de los dos tenía la paciencia necesaria para escuchar con comprensión, sino que se interrumpían mutuamente con sus propias quejas.

Obstáculos que impiden escuchar en forma eficaz

El "oyente aburrido" tiene la actitud de haberlo escuchado todo antes. Cuando el Sr. Pérez vuelve a quejarse acerca de su trabajo, su esposa le dice: "Ya vienes con lo mismo", y desconecta su cerebro para no escuchar. Pero en algunas ocasiones, cuando el Sr. Pérez dice algo nuevo y busca apoyo y ánimo de su esposa, ella tampoco lo escucha, y por lo tanto no puede satisfacerlo.

El "oyente selectivo" elige ciertos trozos de la conversación que le interesan y rechaza el resto. Por ejemplo, un esposo puede estar escuchando las noticias de las seis de la tarde mientras su esposa conversa. La mayor parte de lo que ella dice le entra por un oído y sale por el otro; pero cuando ella menciona que tiene necesidad de gastar dinero para comprarse un vestido nuevo, entonces él pone atención. Otras perso-

REGLAS EFICACES PARA LA CONVERSACION

1. *Elija el momento oportuno para comunicarse con su cónyuge.* Puede ser que usted haya elegido un tema apropiado pero no el momento oportuno. Si usted desea compartir algo personal correspondiente a los niveles 1 ó 2 de comunicación (consulte más atrás "Los cinco niveles de comunicación"), no haga la comunicación como lo haría una persona que acaba de llegar a la casa después de haber tenido un pesado día de trabajo o un largo viaje para regresar al hogar, es decir con fuertes tensiones emocionales. Si desea conversar con su esposa acerca de la necesidad de disminuir los gastos de comida, no debe comenzar justamente en el momento cuando ella sirve una comida a cuya preparación ha dedicado tiempo y cuidado. Elija un momento cuando su cónyuge pueda responder en forma placentera.

2. *Desarrolle un tono de voz agradable.* Lo que importa en muchos casos no es lo que usted dice, sino la forma como lo dice. Resulta reconfortante encontrarse junto a una persona que habla con voz suave y calmada. Si usted quiere que su cónyuge disfrute de su conversación, asegúrese de que le resulta fácil escucharlo.

3. *Sea claro y específico.* Muchos malos entendimientos surgen de una conversación confusa. Procure pensar mientras habla, y exprésese claramente. Diga por ejemplo: "Me gustaría invitar a la familia Ruiz el domingo. ¿Qué te parece?"

4. *Actúe en forma positiva.* En muchos hogares el 80 por ciento de toda la comunicación es negativa. Estas familias se acostumbran tanto a escuchar críticas, reproches, a abrir juicios contra otros, al uso de insultos y otros elementos negativos, que ese comportamiento llega a convertirse en algo normal. Es necesario actuar en forma más positiva y manifestar más aprecio.

5. *Sea cortés y respete la opinión de su cónyuge.* Usted puede hacer esto aun cuando no esté de acuerdo. Debe preocuparse tanto del bienestar de su cónyuge como se preocupa del suyo propio. Y también debe estar dispuesto a escuchar. Usted no debe pasar hablando más del 50 por ciento del tiempo que dedica a la comunicación.

6. *Tome en cuenta las necesidades y sentimientos de su cónyuge.* Desarrolle paciencia y sensibilidad al responder a lo que dice su cónyuge. Si está afligido, usted puede comprender su aflicción y aun afligirse con él. Póngase en onda con las necesidades y sentimientos de miedo, enojo, desesperación y ansiedad de su cónyuge a quien usted ama. Asimismo, si está contento por alguna razón, comparta su alegría con él.

7. *Desarrolle el arte de la conversación.* Un estudio llevado a cabo en la Universidad Cornell, en Nueva York, demostró que cuanto más tiempo pasan el esposo y la esposa conversando mutuamente, tanto mayor es la probabilidad de que experimenten un elevado nivel de satisfacción matrimonial. Los esposos y esposas felices tienen, naturalmente, más cosas para comunicarse que los que se sienten infelices. La conversación es un arte, por lo que debiera dedicarse el tiempo suficiente para desarrollarlo. El intercambio verbal sobre temas interesantes enriquece la relación conyugal.

nas no desean escuchar nada desagradable, alarmante o diferente; tampoco desean oír hablar del comportamiento de sus hijos en la escuela ni de otros problemas. No se gana nada con rechazar lo que no se desea oír. En numerosas situaciones se necesita disponer de todos los hechos posibles a fin de tomar una decisión racional.

El "oyente defensivo" tuerce todo lo que se dice y lo convierte en un ataque contra su propia persona. Una esposa casualmente le dijo a su marido que la nueva moda de usar los vestidos más largos la había dejado sin nada que ponerse. Aunque en ningún momento mencionó la necesidad de comprar nuevos vestidos, el esposo se puso furioso, porque supuso que las observaciones de la esposa habían sido dirigidas contra su incapacidad para ganar suficiente dinero, a fin de satisfacer sus necesidades de vestimenta. Una esposa suspendió la comunicación con su marido durante toda una tarde, porque pensó que la molestia del marido debido al mal comportamiento de los hijos en la mesa había sido un ataque personal contra su incapacidad de enseñarlos en forma adecuada.

Los "interruptores" en lugar de escuchar lo que se dice pasan su tiempo en buscar argumentos para contradecir al que habla. Como se interesan únicamente en sus propias ideas, prestan escasa atención a las palabras de los demás y se limitan a esperar la oportunidad de interrumpir con una observación como ésta: "Oh, eso no es nada. Debieras escuchar lo que me sucedió a mí". O, "Eso me hace recordar lo siguiente..."

También existe el oyente "indiferente". Este no alcanza a captar los sentimientos o emociones encerrados en las palabras. Una joven esposa le pidió a su marido que la llevara a cenar. Pero esta esposa no necesita tanto ser llevada a cenar como tener la seguridad de que su marido todavía la ama y está dispuesto a hacer algún esfuerzo para complacerla. Si él le contesta bruscamente que no tienen dinero suficiente para llevarla a un restaurante, o que está cansado, significa que no ha comprendido el mensaje encerrado en el pedido de su esposa.

Métodos eficaces para escuchar

El énfasis en la necesidad de disponer de métodos eficaces que permitan escuchar mejor no es algo nuevo, pero hasta hace poco se había insistido más en la habilidad y disposición a hablar libremente y no en la necesidad de escuchar con atención. Sin embargo en la actualidad algunas escuelas enseñan métodos para aprender a escuchar. Diversas compañías están estimulando a sus empleados a seguir cursos que les permiten mejorar su capacidad de escuchar. Los consejeros familiares también están insistiendo en la importancia de saber escuchar dentro del círculo de la familia. A continuación aparecen algunas técnicas propuestas por diversos

APRENDA A DESCUBRIR LOS SENTIMIENTOS

En nuestra comunicación con otras personas interviene algo más que nuestras palabras. Detrás de las palabras se ocultan nuestros *sentimientos*. A continuación aparecen algunos sentimientos característicos comunes a todos los cónyuges. Lea cuidadosamente cada declaración y procure descubrir los sentimientos que contiene. En algunos casos hay más de un sentimiento, por lo que usted deberá escribir los sentimientos principales que encuentre.

Ejemplo: Retírate de aquí y déjame solo (sola). No quiero volver a hablarte. Ya he visto que no te importo nada. — Enojo, agravio, resentimiento

1. Me alegro tanto de haberme casado contigo. ________________
2. Creo que comprendo. ¿Pero qué pasará si lo hago mal? Tengo mucha facilidad para hacer las cosas mal en el momento oportuno. ________________
3. ¿Por qué no puedo comprarlo? ¡Tengo el mismo derecho que tú de comprar algo nuevo! ________________
4. Me atraso tanto con mi trabajo que nunca lo termino. ¿Qué debo hacer? ________________
5. Este ha sido el día más largo de la historia. No tuve nada que hacer. ________________
6. Mi marido desea que nos mudemos a otra casa en el lado opuesto de la ciudad, pero yo no quiero mudarme. ________________
7. Muchas gracias. Has sido muy considerado (considerada) al hacer eso. ________________
8. A veces tengo la impresión de que nadie se preocupa de mí. ________________
9. No sé qué debo hacer. ¿Debo ponerme a estudiar en la universidad o a conseguir un trabajo? ________________
10. No debieras haber dicho eso. No era conveniente decirlo. ________________
11. ¿Te gusta mi nuevo vestido, querido? Lo hice yo misma. ________________
12. Conseguir una cita con el médico en estos días es casi tan difícil como tratar de conseguirla con el presidente de la república. ________________

expertos para mejorar la habilidad de escuchar de los cónyuges.

Esté atento al lenguaje corporal. Nos comunicamos mediante la palabra hablada, pero también por medio de lo que no decimos. Se calcula que 55 por ciento de nuestras comunicaciones consiste de expresiones faciales, como un fruncimiento de los labios, un suspiro, una mueca, un entrecerrar de los ojos. Este lenguaje corporal a veces habla con más fuerza todavía que nuestras palabras. Otros mensajes no verbales se expresan mediante las posturas o los gestos, como el golpeteo nervioso hecho con un pie, los dientes apretados, o un gesto de irritación. Estos comportamientos contienen claves de nuestros sentimientos que se esconden detrás de las palabras pronunciadas y en algunos casos establecen barreras aun antes de que comience una conversación.

Invitación a abrir la puerta. Una buena técnica del arte de escuchar se encuentra en el método de responder con una invitación a "abrir la puerta" o a decir algo más. Estas respuestas no comunican ninguna de nuestras ideas o sentimientos, y sin embargo invitan al cónyuge a compartir sus pensamientos. Algunas de las invitaciones más sencillas para abrir la puerta son: "Ya veo". "¡De veras!" "Dime algo más". "Me interesa tu punto de vista". "Cuéntame toda la historia". En esta forma se estimula a la otra persona a hablar y no se da la idea de que se tienen deseos de interrumpir la conversación. Crean la sensación de respeto al sugerir lo siguiente: "Puedo aprender algo de ti. Tus ideas son importantes para mí. Estoy interesado en lo que tienes que decir".

Escuchar en forma activa. El acto de escuchar "en forma deliberada" es la capacidad de procesar la información, de analizarla, de recordarla en un momento posterior y de extraer conclusiones de ella; pero escuchar "en forma activa" significa captar en primer término los *sentimientos* del que habla, y posteriormente procesar la información. La capacidad de escuchar en forma deliberada y en forma activa se necesita en la comunicación efectiva, pero escuchar con sentimiento es mucho más importante en el matrimonio.

El escuchar en forma activa es particularmente útil cuando uno advierte que el cónyuge tiene un problema, como enojo, resentimiento, soledad, desánimo, frustración o aflicción. Su primera reacción a esos sentimientos tal vez sea negativa. Puede ser que tenga ganas de discutir, de defenderse, de retirarse o de pelear. Pero en el acto de escuchar en forma activa se capta lo que se ha dicho, y luego se expresa lo que se piensa que es el sentimiento y no los hechos que se han expresado.

Carlos dice: "Oscar González, el nuevo administrador, me pone nervioso. Me reprocha hasta por las cosas más pequeñas. No me deja en paz. No sé cuánto más podré aguantar".

Elena, utilizando el método de escuchar en forma activa, dice: "Tú quieres decir que Oscar González es una persona muy difícil para trabajar con ella", o bien: "Es muy difícil trabajar con alguien que no deja en paz a los demás". Estas respuestas le permiten a Carlos saber que ella comprende la dificultad que él enfrenta en el trabajo. Había necesitado alguien a quien confiarle su problema, y ahora él se siente en libertad de expresarle toda la historia. Elena escucha con variaciones adecuadas que muestran que está escuchando en forma activa y también emplea expresiones que ayudan a abrir la puerta, y en esa forma se convierte en la oyente que Carlos necesita. A veces se hace necesario insistir suavemente para descubrir la verdadera emoción que se oculta detrás de las palabras. Una vez que haya captado todo el sentido de lo que se dice, debe reexpresarlo y tratar de ver si hay algo que no ha comprendido.

Cuando Elsa dice: "¡Estoy muerta de cansancio!", José podría decir: "Deja de hablar de tu cansancio y toma vitaminas y minerales". O bien: "Siempre te has sentido cansada a esta hora de la noche cuando crees que podría pedirte algo más que un beso de buenas noches". Pero con el método de escuchar activamente, José podría decir: "¿Así que estás verdaderamente cansada? ¿Tienes una razón especial?" Esto abre la puerta para que Elsa busque comprensión de parte de su esposo concerniente a ciertos problemas que ha tenido con los hijos, a una dificultad con un vecino, o bien preocupaciones debidas a la salud de su madre. Ahora ya sabe que José se preocupa de ella y de los deberes que debe llevar a cabo durante el día. Resulta fácil para ella decir mucho más, explorar el problema en forma más profunda y desarrollar más sus pensamientos. *Precaución:* una vez que se han expuesto los sentimientos privados, es necesario resistir el deseo de dar consejos, de criticar, de culpar o de hacer un juicio. *Este no es el momento para llevar a cabo esas actividades.*

Cómo resolver los conflictos

Los conflictos en el matrimonio son inevitables. Tanto el esposo como la esposa ven las cosas en forma diferente, y el matrimonio sería bastante aburrido si no fuera así. Pero esas diferencias pueden producir malos entendimientos, y de éstos pueden surgir conflictos que podrían terminar en estados de frustración y enojo.

Con frecuencia las parejas conyugales consideran los conflictos con temor, porque creen que constituyen una amenaza para su relación. Debido a este concepto erróneo, muchos cónyuges evitan los conflictos rehusando reconocer su presencia, escapando de ellos y forzando los sentimientos para que no afloren a la superficie. Pero ignorar los conflictos no los resuelve. En realidad, la represión de los problemas cargados de contenido emocional puede producir situaciones muy serias. A continuación presentamos algunas reglas constructivas que pueden contribuir a la solución de los problemas.

1 ***Elija el momento y el lugar que sean más adecuados.*** Es mejor resolver los conflictos en el momento en que se producen, pero si cualquiera de los cónyuges tiene en ese momento enojo o una actitud irrazonable, en ese caso es mejor posponer el análisis de la situación. Sin embargo, no conviene postergarlo durante demasiado tiempo. Si su cónyuge no saca a relucir nuevamente el tema, en ese caso con-

REGLAS PARA ESCUCHAR CON EFICACIA

Tal vez usted no ha estado escuchado debidamente a su cónyuge. No basta decidir escuchar con atención; además, hay que disciplinarse y mejorar esta habilidad. A continuación aparecen seis puntos que ayudarán a escuchar eficazmente.

1. Mire a su cónyuge a los ojos y dedíquele toda su atención. Apague el televisor o deje de lado el libro o diario que estaba leyendo.

2. Demuestre interés en lo que escucha asintiendo con movimientos de cabeza, cambiando la expresión de la cara, sonriendo e inclinando el cuerpo hacia adelante.

3. Haga de vez en cuando observaciones adecuadas, para demostrar acuerdo, interés y comprensión. Su cónyuge desea saber si usted comprende lo que él o ella está diciendo.

4. Haga preguntas oportunas y bien formuladas. Anime a su cónyuge haciendo preguntas que demuestren su interés.

5. Mantenga su atención durante unos 30 segundos adicionales después de haber terminado de hablar su cónyuge.

¿Tiene usted algún problema de comunicación? Durante la semana siguiente enfoque su atención sobre sus propios defectos, y no sobre los de su cónyuge. Percatarse de las deficiencias es sólo el primer paso. El paso que sigue consiste en corregirlas. Siga este procedimiento en su comunicación con todos los miembros de su familia. Si no está seguro de la existencia de un problema, pregunte a su cónyuge qué le disgusta más en la forma como usted habla o escucha.

viene que usted tome la iniciativa para resolver la dificultad. Mientras analizan sus conflictos, pónganse a cubierto de posibles interrupciones. Tal vez les convendrá desconectar el teléfono y ponerse de acuerdo en que no saldrán a abrir cuando alguien llame a la puerta. Si los niños no forman parte de la discusión, deberán explicarles que tienen un asunto importante que arreglar y pedirles que no los interrumpan. Si pueden solucionar su problema en forma constructiva, sin perder el control de las emociones, en ese caso no es inconveniente que los chicos se encuentren presentes, ya que así aprenderán a manejar los desacuerdos en forma sana.

No es conveniente arreglar las situaciones conflictivas tarde en la noche. Las decisiones que se tomen en esa hora tardía, cuando el cuerpo está cansado mental, física y espiritualmente, tenderán a tener un subido tono emocional. Sería mejor acostarse a una hora razonable y levantarse temprano al día siguiente para hablar con calma sobre el asunto que preocupa.

Numerosas familias bien organizadas dedican una noche en la semana para ventilar las quejas. Este recurso elimina la conversación desagradable

durante las comidas y en otros momentos que no son apropiados, y al mismo tiempo permite examinar las situaciones que preocupan antes que éstas escapen del control.

2 ***Hable en forma directa.*** Exprese claramente sus sentimientos, pero con respeto, siguiendo el método eficaz de los mensajes en primera persona, es decir, utilizando el pronombre "yo", seguido de la forma como usted se siente ("Yo me siento afligida, porque..."). Hable en forma directa, clara y concisa, sin expresar enojo. Incluya razones que respalden su opinión. Explique cómo cree usted que ese problema puede resolverse y qué está en juego. Hable con calma y con un tono de voz controlado.

3 ***Manténgase dentro del tema.*** Concluya el análisis de un problema antes de pasar a otro. Si introduce varios problemas al mismo tiempo, es menos probable que pueda resolverlos. Establezca como regla que no se introducirá un nuevo problema hasta haber concluido con el primero. Si es necesario, anote en una hoja los nuevos problemas para resolverlos en una próxima ocasión. Evite llevar argumentos viejos a la discusión. Póngase de acuerdo en que si una queja o acusación se refiere a un hecho que sucedió más de seis meses antes, no podrán aceptarlo como evidencia.

4 ***Manifieste respeto.*** Aunque usted no concuerde con la posición de su cónyuge y aunque se oponga definidamente a ella, de todos modos debe manifestar respeto por dicha opinión, porque el otro tiene derecho a manifestarla. Hay cosas que nunca deben hacerse en una discusión, como uso de insultos, amenazas de divorcio o de suicidio, observaciones hirientes acerca de los suegros o parientes, empleo de expresiones que atacan la apariencia o la inteligencia del cónyuge, violencia física, gritos o interrupciones.

Será muy difícil borrar el efecto hiriente provocado por palabras pronunciadas con enojo.

5 ***Haga una lista de las soluciones posibles.*** Una vez que hayan expresado los sentimientos en forma amplia y constructiva, entonces podrán comprender cuáles son las cuestiones que están en juego y presentar alternativas razonables. Analice toda solución posible aunque parezca poco práctica, porque del conjunto surgirá una solución definitiva.

6 ***Evalúe las soluciones.*** Una vez que hayan analizado toda la infor-

mación disponible, podrán efectuar una elección inteligente del procedimiento más adecuado para encontrar la solución. En este momento pueden repasar la lista de posibles soluciones e intercambiar sus pensamientos acerca de las posibles consecuencias de cada una.

7 ***Elija la solución más aceptable.*** Propóngase adoptar una solución que satisfaga más de cerca las necesidades de ambos, o en su defecto, las necesidades del cónyuge que se siente más herido o más afligido. Es probable que para llegar a esta elección tengan que negociar bastante y entrar en compromisos. El objetivo de esos análisis no debiera ser ganar la batalla, porque cuando hay un ganador también hay un perdedor, y a nadie le gusta perder.

Es posible encontrar soluciones cuando uno de los cónyuges cede voluntariamente, cuando ambos llegan a un acuerdo, o cuando uno de ellos cede ante las exigencias del otro. Será necesario cuidar de que no sea un solo cónyuge el que cede en todas las ocasiones. Se necesitan dos personas para crear un conflicto y también dos para resolverlo. Ceder ante otra persona en medio de un conflicto requiere verdadera madurez, porque en ese caso se está admitiendo que el análisis que se había hecho de la situación estaba equivocado y que ahora la persona está lista para cambiar de pensamiento.

8 ***Lleve su decisión a la práctica.*** Decida lo que cada uno debe hacer, dónde y cuándo. Una vez que hayan tomado una decisión, recuerde que dos personas con frecuencia perciben los acuerdos en forma diferente. Para ponerse de acuerdo, convendría escribir la decisión a que se ha llegado y luego ambos cónyuges podrían firmar. Esta técnica también resulta eficaz en el caso de los niños, y especialmente con los adolescentes.

Unicamente las negociaciones amistosas pueden resolver algunos conflictos. Con frecuencia, si uno cede se siente resentido y puede estar de muy mal talante por el resto del día, rehusando hablar, durmiendo poco y procurando prolongar la discusión hasta el día siguiente. El otro cónyuge también puede ser igualmente obstinado. Ambos se sienten justificados en apoyar sus propios puntos de vista. ¿Pero importa realmente quién tiene razón y quién no la tiene? Una pareja matrimonial en la que ambos miembros se preocupan el uno del otro, debiera poder resolver una situación difícil en base a la importancia que cada uno le da a las necesidades del otro en ese momento. Resulta más fácil alcanzar una solución cuando ambos cónyuges están dispuestos a ver el problema desde la perspectiva del otro.

Cuando uno de los cónyuges quebranta las reglas

Por mucho que se trate de evitar las discusiones, una que otra vez no se conseguirá ese propósito. Cuando está por producirse una discusión, será posible evitarla utilizando una fórmula sencilla. En lugar de contestar con palabras que arrojarían al cónyuge en medio de la batalla, es mejor *elegir no discutir.* Por ejemplo, si su esposo supone que un pedido perfectamente legítimo suyo constituye una agresión o una manifestación de hostilidad, usted puede elegir no discutir, sino decir calmadamente: "Siento que lo que dije te haya causado esa impresión. Lo que realmente quería decir es esto..."

Si su esposo acostumbra hablarle con sarcasmo, dígale directamente: "Me causa daño escuchar observaciones tuyas como ésas acerca de mí. Sé que yo también digo cosas que te molestan, pero tratemos de evitar esas expresiones en el futuro".

Si su cónyuge es un criticón que acostumbra encontrar faltas todo el tiempo, no trate de defenderse. En cambio, tome nota de sus errores. Cuando él haya terminado con la enumeración de sus faltas, dígale algo así como esto: "Muy bien, volvamos ahora a lo primero que tú mencionaste. Realmente cometí esa falta y estoy dispuesto (o dispuesta) a conversarlo contigo. Pero también te pediré que tú comentes tus errores conmigo".

Cuando uno de los cónyuges efectúa una exageración ridícula como ésta: "¡Tú nunca llegas a casa a tiempo!", en lugar de corregir esa declaración, es mejor decir algo como lo que sigue: "Sé que esto te hace sentir mal y que tú piensas que ocurre con demasiada frecuencia. Trataré de que no vuelva a suceder".

Si su cónyuge quebranta el acuerdo de no reprenderla porque usted gasta demasiado dinero, no le conteste con ira, sino dígale que él tiene razón y que en el futuro usted tratará de gastar menos. Luego en otro momento, cuando él se haya calmado, preséntele el tema del presupuesto de la familia y procure llegar a un acuerdo que sea satisfactorio para ambos.

Cuando los cónyuges se pelean en forma irracional, pueden destruir las buenas relaciones matrimoniales, pero cuando su cónyuge se olvida y quebranta los reglamentos establecidos por ambos, *usted puede aprender a actuar en forma razonable a pesar de eso.* Elija no discutir, sino que con calma y tranquilidad ponga frente a su cónyuge los hechos reales de la situación. Man-

EJERCICIO ESCRITO SOBRE EL ARTE DE ESCUCHAR

A continuación aparecen diversas situaciones que requieren que se ponga en práctica el arte de escuchar en forma eficaz. Usted debe encontrar la respuesta adecuada. Lea el problema y luego escriba en el espacio en blanco de la derecha una respuesta que se relacione con el arte de escuchar. Compare sus respuestas con las de su cónyuge.

ALGUNAS FRASES UTILES:

Ya veo. Estás diciendo...
¿De veras que quieres...
Por lo que acabo de escuchar, me parece que tú sientes...
Veamos si he comprendido...
De modo que lo que dices es...
Me causas la impresión de que sientes...

El problema

1. Juan no está seguro de si debe continuar trabajando en la misma profesión.
2. Marta se siente molesta por un cambio de palabras que tuvo con la vecina.
3. Jaime está enojado porque acaba de perder una gran venta, que fue hecha por un competidor.
4. Catalina está enfadada porque dejó olvidado un paquete en la tienda donde lo compró.
5. Tony expresa frustración debido a que una secretaria de la oficina, que es una chica muy buena, no puede mantenerse al día con el trabajo.
6. María se queja porque no puede hacer al mismo tiempo el trabajo de la casa y el del patio.
7. Juan se siente preocupado debido a problemas financieros.

Usted podría decir

tenga su agresividad bajo control y exprese sus propios pensamientos, sentimientos y convicciones. Usted puede evitar muchos argumentos o discusiones potenciales eligiendo no discutir y contestando en una forma razonable, cortés y llena de tacto.

Comunicación íntima

Hasta aquí hemos presentado en este capítulo técnicas mejores para hablar, escuchar y resolver los conflictos. Pero es posible poner en práctica todos estos recursos y de todos modos no *conocer* al cónyuge. La verdad es que la mayor parte de los esposos y esposas no se conocen mutuamente, porque muchas parejas se resisten a compartir sus pensamientos y sentimientos mutuos.

Ciertos estudios realizados demuestran que la comunicación alcanza su punto más elevado durante el primer año de matrimonio, mientras la pareja explora sus sentimientos íntimos y establece objetivos para el futuro. Pero a los pocos años los niños entran en escena, lo cual hace que ambos cónyuges dejen de prestarse atención para dirigirla en adelante hacia el hogar y los hijos. Se acaba el aspecto romántico del matrimonio y la relación conyugal adopta la apariencia de una sociedad comercial. La conversación suele girar en torno a los problemas financieros, a las peleas de Tomasito con un compañero de escuela y las malas notas de Susana.

Mientras tanto, el esposo y la esposa han ido en pos de intereses diferentes. El se ha preocupado de su progreso en el trabajo o bien ha expandido su empresa comercial para asegurar el futuro económico de su familia. La vida de la esposa, por su parte, ha girado en torno al hogar, los hijos y sus pasatiempos favoritos. En pocos años los hijos crecen y se van del hogar, y la pareja de edad madura descubre que no tiene ninguna base desde la cual comunicarse en un nivel más profundo.

Las parejas conyugales en general se comunican, pero únicamente acerca de cosas, como el trabajo, el automóvil, la casa, los hijos, la iglesia. ¿Era ésta la forma como se comunicaban cuando eran novios? Ciertamente no lo era. Todo lo que deseaban en ese tiempo era estar juntos y conversar el uno con el otro. En realidad no importaba mucho lo que hacían juntos, ya que lo que deseaban era solamente la compañía mutua. En sus conversaciones utilizaban frecuentemente las palabras yo, tú, nosotros. No se preocupaban tanto de las cosas materiales como de descubrirse mutuamente.

Durante todas las etapas de la vida de casados, los esposos necesitan un método para entrar en contacto y mantenerse en contacto con los sentimientos del otro cónyuge. Tal vez el lector se da cuenta de que su propia comunicación ha consistido mayormente en un intercambio de ideas, conceptos y esperanzas para el futuro, pero desconoce en gran parte los sentimientos íntimos de su cónyuge.

Los esposos debieran adoptar un "plan de conversación mutua" para re-

PLAN PARA SOLUCION DE PROBLEMAS

1. Anote las reglas o procedimientos a seguir.
   a.
   b.
   c.
   d.
2. Piense en diversas soluciones y anótelas.
   a.
   b.
   c.
   d.
3. Haga una evaluación de las sugerencias.
   Primera elección:

   Segunda elección:

   Tercera elección:
4. Elija la solución que sea mejor para todos.
5. Ponga en práctica la solución.
   a. Método
   b. Ejecución

cuperar la intimidad que perdieron u olvidaron con el paso del tiempo. En ese programa pueden elegir un tema de conversación. A continuación presentamos algunos temas sugerentes: "Mi mayor necesidad emocional es...", "La mejor forma de satisfacer mi necesidad de amor es haciendo lo siguiente...", "Lo que siento acerca de nuestras finanzas...", "Lo que me gustaría hacer con mi tiempo libre...", "Cómo debemos disciplinar a nuestros hijos...", "El momento más feliz de mi vida contigo ocurrió cuando...", "Me gustas porque...".

El tema no es tan importante como el acto de compartir los sentimientos acerca del mismo. Después de decidir el tema del que se ocuparán pueden reflexionar y escribir sobre el mismo durante unos diez minutos. El acto de escribir los pensamientos relacionados con el tema es la parte más difícil. Sin embargo es una parte clave para el éxito de este programa. Escribir los pensamientos tiene varias ventajas sobre el acto de conversar sobre los sentimientos. Permite examinar los pensamientos y prestar mejor atención a lo que se está diciendo. Nos hace proceder con mayor lentitud, de manera que podamos captar mejor nuestras propias palabras y hacer las correcciones necesarias.

El estilo no es importante. No se preocupe si sus pensamientos parecen insignificantes o inconexos. Lo importante es poner por escrito lo que usted siente. Describa sus emociones y sentimientos en forma escrita. Busque sentimientos que no había experimentado antes. Busque profundamente en su intimidad y describa detalladamente lo que vaya encontrando. El objetivo consiste en ayudar a su cónyuge a captar la forma como usted siente, a ver y comprender la forma como usted ve y comprende, a convertirse en una parte de usted durante un tiempo.

En un momento del día cuando ambos puedan estar solos, compartan mutuamente lo que han escrito y cada uno lea en silencio lo que el otro hizo. Después de la lectura inicial destinada a familiarizarlo con los hechos, haga una segunda lectura y procure encontrar los sentimientos. Trate de absorber las emociones ocultas y los significados expresados. La esposa debe tratar de sentir lo que el esposo siente. El esposo debe ver las cosas desde el punto de vista de su compañera y comprender en la misma forma como ella comprende.

A continuación deben turnarse para responder a lo que se ha escrito. Pida a su cónyuge que le cuente más acerca de la forma como siente. Descríbale la forma como usted percibe lo que él siente, y ayúdele a expresarse en forma adicional. Manténganse lo más cerca posible el uno del otro para experimentar, si es dable, las expresiones físicas de los sentimientos. Trate de captar las expresiones faciales, lágrimas, manos sudorosas o frías, o la "carne de gallina" en los brazos. Una cosa es ver caer una lágrima de los ojos de su cónyuge y otra muy diferente es *sentirla* caer. Comuníquense mediante el tacto.

Practiquen este plan diariamente durante tres meses. Al comienzo parecerá un trabajo adicional para el que no tienen tiempo. Es necesario que lo pongan en práctica *diariamente,* porque lo que importa es la repetición frecuente y no la comunicación íntima de los sentimientos efectuada esporádicamente. Un músico puede tocar una pieza sin errores, porque la practica todos los días. El deportista, el gimnasta o cualquier persona que hace bien su trabajo tiene éxito gracias a la práctica. De igual modo, los cónyuges que practican este plan de comunicación en forma regular cosecharán las mayores recompensas de su relación matrimonial.

Aunque este capítulo se ha centrado en la comunicación entre esposo y esposa, no quedaría completo si no se mencionara la comunicación con Dios. El esposo, la esposa y Dios forman un triángulo sagrado. Si se interrumpe la comunicación entre el esposo y la esposa, eso afecta su relación con Dios; y si la comunicación se interrumpe con el cielo, también quedará afectada la comunicación entre los cónyuges. Alguien ha dicho muy acertadamente que una persona no puede abrirse hacia Dios y cerrarse hacia su cónyuge. Cuando las líneas de comunicación se encuentran sin obstrucción, Dios puede llevar a cabo con mayor facilidad su propósito para el esposo y la esposa.

Ninguna cantidad de comunicación experta podrá constituir un matrimonio perfecto o crear una actitud abierta y de respeto cuando las cualidades mencionadas no se encuentran presentes. La comunicación genuina y sincera alivia la tensión emocional, aclara el pensamiento y afloja las tensiones que se han acumulado durante el día de trabajo. Permite que una pareja trabaje para alcanzar objetivos comunes que allanan el camino para que se establezca una relación genuina e íntima entre el esposo, la esposa y Dios.

Parte de lo que nos incomoda en el matrimonio son características individuales debidas al sexo. Debemos comprender que existen diferencias entre los sexos que no es posible dejar o cambiar. Mucho de lo que nos irrita lo consideramos "defectos", cuando en realidad se trata de diferencias individuales. Después de comprender esto, no debemos sentirnos tan dispuestos a sospechar que nuestro cónyuge busca irritarnos deliberadamente. En adelante, esos pequeños problemas se pueden aceptar como un fenómeno natural que puede no ser agradable, pero que tampoco se puede cambiar mediante regaños o sermoneos.

Contenido del capítulo

I. Lo que los hombres deben saber acerca de las mujeres

A. La mujer necesita sentir respeto de sí misma
  1. La falta de respeto de sí misma puede...
     a. Trasmitirse a los hijos
     b. Afectar los sentimientos de femineidad de la esposa
     c. Producir sentimientos negativos hacia sí misma
     d. Afectar su manera de atender el hogar
  2. Ella necesita respeto, aprecio y manifestación de interés en la forma como cumple sus responsabilidades

B. Intereses fuera del hogar
  1. Necesita pasar una tarde o una noche fuera del hogar
  2. Esto es válido especialmente en el caso de las madres de niños pequeños
  3. Es una necesidad para su salud mental y para el respeto de sí misma

C. Ayuda del exterior

Capítulo 6

Cómo Comprender a su Cónyuge

Las células del cuerpo del varón son genéticamente diferentes de las células del cuerpo de la mujer. Debido a esto, las mujeres generalmente poseen mayor vitalidad física y suelen vivir más que los hombres, probablemente porque tienen un metabolismo basal más bajo que el de éstos. La estructura esquelética femenina también difiere de la del varón, porque la mujer tiene cabeza más chica, piernas más cortas, cara más ancha, mentón menos saliente y tronco más largo. Las mujeres en general pierden los dientes antes que los hombres. El estómago, los riñones, el hígado y el apéndice tienen mayor tamaño en las mujeres, pero sus pulmones son más chicos. La glándula tiroides, más grande y más activa en las mujeres que en los hombres, aumenta adicionalmente de tamaño durante el embarazo y la menstruación, lo que hace que éstas estén más expuestas al bocio. La tiroides más grande provee a la mujer con los elementos que consideramos importantes para la belleza personal, tales como una piel suave, el cuerpo relativamente libre de vello y una capa delgada de tejido adiposo subcutáneo.

D. Más comunicación
E. Tiempo para la familia
F. Interés en el hogar
G. Confirmación de los sentimientos
H. Intuición femenina
I. Cambios en la disposición de ánimo
J. Cambios premenstruales
K. Atención

II. Lo que las mujeres deben saber acerca de los hombres

A. La identidad masculina
  1. Está orgulloso de su masculinidad
  2. Vulnerable a la crítica
  3. Puede tratar de encubrir las debilidades
  4. Desea una relación segura
B. Relaciones exteriores
C. Objetivos masculinos
  1. La vocación viene en primer lugar
  2. Búsqueda de posición
D. Le agrada llegar al hogar
  1. Preparación del ambiente afectivo
  2. Preparación física
  3. Haciendo agradable la atmósfera del hogar

La sangre de la mujer contiene más agua y 20 por ciento menos de glóbulos rojos. Debido a que los glóbulos rojos proveen oxígeno al organismo, esto podría explicar por qué las mujeres se cansan con más facilidad y están más expuestas al desmayo. Durante la Segunda Guerra Mundial, cuando el día de trabajo en las fábricas británicas aumentó de diez a doce horas, los accidentes entre las mujeres también aumentaron en un 50 por ciento, pero la proporción de accidentes entre los varones permaneció inalterada.

La menstruación, el embarazo y la lactancia afectan el comportamiento y la vida emocional de la mujer. Las investigaciones efectuadas en relación con los suicidios han demostrado que de 40 a 60 por ciento de las mujeres se encontraban en el período de la menstruación cuando se quitaron la vida. David Levy ha encontrado que la profundidad e intensidad del instinto maternal se relacionan con la duración y la cantidad del flujo menstrual.

El aumento de la actividad glandular que se produce durante la menstruación ocasiona cambios marcados en el comportamiento de la mujer. Los estudios efectuados acerca de los cambios de conducta han demostrado que una porción considerable de los delitos cometidos por mujeres (63 por ciento en un estudio británico y 84 por ciento en uno francés) ocurrieron justamente antes del comienzo de la menstruación. También la menstruación afectó los suicidios, los accidentes, una disminución en la calidad de los logros académicos, los puntajes de las pruebas de inteligencia, la agudeza visual y la velocidad de la respuesta a un estímulo. El ausentismo relacionado con problemas de menstruación cuesta muchos millones a la industria, pero este impacto financiero queda relegado a un segundo lugar cuando se lo compara con los problemas domésticos que se producen en el hogar durante el período menstrual.

Algunas de estas diferencias, ya sean innatas o adquiridas, pueden provocar numerosas incomprensiones cuando insistimos en proyectar nuestra manera de pensar en nuestro cónyuge y le negamos el derecho de pensar de acuerdo con las características de su sexo. Los problemas comienzan cuando el hombre o la mujer se tornan dogmáticos en su manera de pensar y creen que sólo ellos tienen la razón.

No queremos simplificar demasiado este asunto, de modo que no diremos que todos los hombres o todas las mujeres siempre responderán en la forma característica de su sexo. No podemos suponer que los miembros de un mismo sexo tendrán siempre las mismas necesidades emocionales o idénticas pautas de conducta o maneras de pensar iguales. Sin embargo, al estudiar las tendencias generales dentro de cada sexo, podemos comprender la forma como los miembros del otro sexo piensan y responden.

Lo que los hombres necesitan saber acerca de las mujeres

Hasta hace poco, escasas autoridades médicas y psicológicas se habían dedicado a aclarar la personalidad femenina. En lugar de eso, muchos consideraban a las mujeres como una mezcla complicada de necesidades conflictivas y reales que era difícil, si no imposible, satisfacer. Puede ser que las mujeres parezcan más complicadas superficialmente, pero esto se debe a que operan en un largo de onda diferente que los hombres y en consecuencia enfocan la vida desde otro ángulo. Alguien ha dicho que ocasionalmente un hombre tiene una vislumbre de lo que motiva a su mujer, y aun mientras él piensa en eso, ella deja de sentirse motivada por la misma cosa.

La mujer necesita sentir respeto de sí misma

En una investigación efectuada por el Dr. James Dobson acerca de las causas de depresión en las mujeres, las participantes dijeron que el problema que más las preocupaba era la baja estima de sí mismas. El Dr. Dobson observó que aun en mujeres jóvenes, sanas y con un matrimonio feliz, la inferioridad personal y la duda acerca de sí mismas era lo que más las lastimaba y dejaba cicatrices más intensas.

¿Por qué sufren las mujeres de depresión debida a sentimientos de baja estima de sí mismas? La respuesta, por lo menos en parte, yace en el hecho de que en la actualidad la función de la mujer se encuentra bajo ataque. Se les ha dicho que si se dedican a las tareas hogareñas no se han realizado como mujeres. Cada vez más se mide el valor de una mujer únicamente en términos del beneficio financiero que representa para la familia y de la contribución que efectúa en el mundo de los negocios. Presionada por la radio, la televisión, las revistas, los periódicos y las películas, comienza a creer que si no es una supermujer, una reportera, una gerente de empresa comercial o una doctora, no vale nada. Estas opciones debieran estar al alcance de la mujer de hoy, pero sin menospreciar el papel de esposa, madre y ama de casa, y sin destruirle la estima de sí misma.

La falta de respeto de sí misma afectará el hogar en diversas formas. Ante

LEA CON ATENCION Y ORACION ESTOS PASAJES BIBLICOS

"Sobrellevad los unos las cargas de los otros, y cumplid así la ley de Cristo" (Gálatas 6:2).

"Gozaos con los que se gozan; llorad con los que lloran. Unánimes entre vosotros" (Romanos 12:15-16).

¿En qué formas específicas y prácticas puede verse usted poniendo en acción estos consejos a fin de comprender mejor a su cónyuge? Dé todos los detalles que pueda.

¿Cuándo comenzará usted a poner en práctica estos consejos?

¿Qué resultados esperaría usted de este plan de acción?

todo, sus hijos adquirirán esa misma falta de respeto. Verán que ella no se respeta a sí misma, por lo que tampoco ellos la respetarán e inconscientemente tenderán a tener un concepto negativo de sí mismos. Es imposible que una madre que posee una imagen psicológica personal deficiente, pueda ayudar a sus hijos a formar un concepto saludable de sí mismos; debido a esto, siempre manifestarán deficiencia en este sentido, a menos que alguna otra persona con una imagen psicológica positiva compense esta falta.

En segundo lugar, un concepto bajo de sí misma afectará la femineidad de una mujer. Si carece de sentimientos positivos hacia sí misma, es muy probable que el hecho de ser mujer no le producirá ninguna satisfacción. Las actitudes negativas adquirirán la supremacía. Tal vez lamentará la suerte que le ha tocado en la vida, se quejará interminablemente y se resistirá a adaptarse a los deseos de su esposo. Es una verdad psicológica el hecho de que no podemos amar a otros hasta que primero nos amemos a nosotros mismos, y una esposa puede amar a su marido únicamente en proporción directa a los sentimientos positivos que tenga acerca de sí misma.

En tercer lugar, los sentimientos negativos de una mujer afectarán su vida sexual. Si no tiene sentimientos positivos relacionados con el hecho de ser mujer, o no está conforme con su figura, no comprenderá los deseos sexuales de su esposo hacia ella. Puede ser que en la noche se ponga una camisa de dormir larga y de cuello alto, en un esfuerzo por ocultar lo que considera un cuerpo desagradable. Insistirá en desvestirse en el baño o en tener relaciones sexuales en completa oscuridad, tal vez con la intención de olvidar que posee un cuerpo no sugestivo.

En cuarto lugar, un concepto bajo de sí misma afecta la habilidad de ama de casa. Especialmente si la esposa tiene estudios universitarios, podrá tender a menospreciarse a sí misma debido a que la sociedad ha comenzado a despreciar las tareas del hogar. Tal vez se sienta consumida por sentimientos de culpa porque no puede completar a tiempo el trabajo hogareño. Puede trabajar todo el día y tener la casa impecable cuando llega su esposo, y sin embargo no sentirse satisfecha con sus esfuerzos. Se agota al procurar llevar a cabo diferentes trabajos en un esfuerzo por demostrar que posee algún valor.

Esto explica por qué la mujer necesita experimentar el respeto de su marido por la forma en que cumple sus responsabilidades de cada día. Un hombre llega a ser respetado a través de las promociones que alcanza en el trabajo, los beneficios financieros y las expresiones de encomio que recibe. Pero la dueña de casa no tiene a nadie, fuera de su marido, que le proporcione esas satisfacciones. Las mujeres más infelices son las que pasan un día tras otro sin que sus esposos comprendan lo que se necesita para dirigir un hogar y criar hijos responsables.

Más comunicación

Un hombre que desee que su esposa acepte las responsabilidades de la maternidad y que proporcione a los hijos amor satisfactorio y una imagen psicológica positiva, debiera proporcionarle el apoyo que ella necesita. Si ha tenido un día particularmente difícil en el que ha debido resolver una cantidad de pequeñas crisis que se presentan en el hogar cada día, especialmente en relación con los hijos, entonces él debiera concederle tiempo para que converse con él acerca de esas situaciones que son importantes para ella. Necesita la ayuda de él para disciplinar, enseñar, guiar, entretener y educar a los hijos.

Tiempo para la familia

Todo hombre debiera reservar cierto período de tiempo durante el día para dedicarlo a su familia. Si su trabajo le resulta especialmente satisfactorio, tal vez se sienta inclinado a dedicarle todo el tiempo que pueda. El resultado será una esposa frustrada e hijos privados de la compañía de su padre.

Un ministro religioso, amigo nuestro, siempre dedicaba tiempo a su esposa y a su familia. Dirigía una iglesia con muchos miembros en una populosa ciudad, y si lo hubiera permitido, habría podido pasar todo su tiempo atendiendo a las necesidades de sus feligreses. Pero no permitió que su trabajo se convirtiera en una piedra de tropiezo para su vida de hogar, de modo que cada semana pasaba el día lunes con su familia. Con frecuencia salían juntos de paseo. Si se quedaban en la casa, evitaban contestar el teléfono. Unicamente su secretaria sabía cómo ponerse en contacto con él en caso de emergencia. Había establecido correctamente sus prioridades. Después de todo, ¿de qué le valía tener una iglesia grande y un trabajo satisfactorio, si perdía la admiración y el afecto de su propia familia? Ha tenido éxito como pastor, esposo y padre, porque ha establecido un ordenamiento correcto de los valores relacionados con su vida.

El interés en el hogar

Si un hombre pasa la mayor parte de su tiempo fuera de la casa por no interesarse en lo que sucede en su hogar, su esposa se sentirá frustrada. El hogar es una extensión de su personalidad, por lo que podrá interpretar la actitud despreocupada del esposo como una falta de interés en ella. Por ejemplo, puede ser que él no tenga habilidad para hacer reparaciones necesarias en una casa. Se sentirá frustrado al tratar de reparar una llave que gotea, un vidrio roto o una puerta a la que se le ha salido una bisagra. Considerará esas tareas de segunda importancia comparadas con los asuntos más importantes que tiene en la mente. Se hará esta pregunta: "¿Y cuál es la diferencia si hago esas cosas ahora o un mes más tarde?" Pero para la esposa, la dilación del marido puede representar un rechazo personal. Necesita saber que él se preocupa de ella y de su mundo hogareño.

Aunque una mujer necesita la participación y el interés de su esposo en el hogar, éste debe recordar que el hogar es el dominio de ella. Aunque él sea una persona muy eficiente, no debiera tratar de cambiar el orden de las cosas en la cocina o volver a decorar la casa por su propia cuenta. Eso sería tan impropio como si su esposa fuera a la oficina de su marido y cambiara la disposición de los muebles, diera instrucciones contradictorias a su secretaria y le hiciera ver dónde ha errado en muchas de sus decisiones. Una mujer necesita libertad para manejar las cosas del hogar. Ese es su mundo.

Reconocimiento de los sentimientos

Una mujer necesita que se reconozcan sus sentimientos y que se acepten.

No busca tanto soluciones como que se la comprenda. Se conformará con buscar una solución más tarde, pero cuando ha tenido contratiempos y siente malestar, quisiera conversar con su esposo en un nivel adulto. Si éste la escucha sin interés, no se sentirá conforme, por lo que tal vez provocará una discusión basada en un punto insignificante al que ella le atribuirá una importancia desmedida.

El psicoanalista Carl G. Jung se refiere a la tendencia de algunas mujeres intelectuales a insistir en un punto sin importancia y convertirlo insensatamente en el centro de una discusión. Señala, además, que una discusión perfectamente lúcida, con frecuencia puede complicarse en forma exasperante debido a la introducción de puntos de vista diferentes y a veces mal intencionados. Puede ser que ella saque a colación acontecimientos sin importancia que sucedieron hace cinco años y que de ellos obtenga conclusiones descabelladas que perjudican aún más la relación conyugal. Por lo general sucede que durante esos episodios ella en realidad no desea entrar en discusión. Tan sólo desea que su esposo comprenda cómo se siente. En la mayor parte de los casos no busca ganar la discusión, y se sentiría mal si la ganara.

MIS NECESIDADES

Las esposas deben completar las siguientes frases:

1. Cuando siento ganas de llorar, quisiera que mi esposo...

2. Siento profundo agrado cuando mi esposo me demuestra interés personal y atención haciendo lo siguiente...

3. Mi esposo podría satisfacer mejor mi necesidad de comunicación en un nivel más personal haciendo lo siguiente...

4. Me encanta cuando mi esposo hace que aumente el respeto de mí misma mediante lo siguiente...

5. Quisiera que mi esposo me ayudara a aumentar el respeto de mí misma haciendo lo siguiente...

6. Mi esposo considera mi intuición de mujer en la forma siguiente...

7. Cuando experimento tensión premenstrual o menstrual, me gustaría que mi esposo hiciera lo siguiente...

8. Quisiera que mi esposo manifestara más interés en nuestro hogar haciendo lo siguiente...

9. La necesidad que siento de expresar mi don creador fuera del hogar podría ser satisfecha en la siguiente forma...

Hay que respetar la intuición

A veces un hombre cree que no es posible entender a una mujer porque ella encara la solución de los problemas desde un ángulo diferente. El hombre confía mayormente en la lógica cuando desea comprender algo, mientras que la mujer no siempre analiza así una situación, no la reduce a sus partes integrantes y no llega a una solución basada en los hechos. En cambio, frecuentemente capta una situación mediante procesos emocionales.

El hombre tiende a pasar por alto las reacciones emocionales de la mujer porque éstas carecen de sustancia, según su opinión. Pero una mujer madura puede llegar a conclusiones correctas y exactas. La intuición femenina, como se la suele llamar, puede prestar un gran beneficio a un hombre al ofrecerle una perspectiva más amplia sobre un asunto determinado. Los hombres, y en algunos casos también las mujeres, tienden a desestimar lo que podría ser un recurso valioso, porque la intuición no es un pensamiento mágico sino más bien ideas, percepciones, pensamientos y sentimientos que emergen de la mente de la mujer cuando la ha aplicado a reflexionar sobre un asunto dado. Puede ser que tenga un conocimiento limitado sobre cierto tema, pero sus consejos pueden resultar muy dignos de confianza.

Un abogado dijo cierta vez: "La mitad de mis clientes varones no se habrían metido en dificultades si hubieran compartido sus problemas con sus esposas. Por cierto que no soy yo quien debe decírselo, pero no puedo comprender cómo un hombre inteligente, que tiene una esposa capaz, deja de obtener de ella mejor provecho. ¿Por qué tendrá que dejar sin uso la mitad de su activo, que es su esposa? Aunque su propio juicio sea inusitadamente sólido, puede ser que no tenga una visión de conjunto de un problema determinado debido a que se encuentra muy próximo a él. Si lo analizara con su esposa, quien tal vez no sepa nada acerca del mismo, de seguro que ella lo ayudaría a apreciar claramente los contornos del problema, por el hecho mismo de que ella no se encuentra inmiscuida en esa situación. Con frecuencia vienen a consultarme hombres para que les preste esa clase de servicio a un costo bastante elevado. En la mitad de los casos sus esposas hubieran podido prestarle la misma ayuda, puesto que no se trataba de cuestiones legales, sino del empleo del sentido común y de una mente no comprometida en el problema para poder apreciarlo imparcialmente".

Cambios en el estado de ánimo

Con frecuencia la mujer experimenta cambios imprevisibles en su estado de ánimo, que el hombre podría interpretar como inestabilidad emocional. Pero esos altibajos son el resultado de cambios hormonales y del funcionamiento de sus emociones. Un aspecto de la naturaleza emocional de la mujer que puede frustrar a un hombre son sus ataques de llanto. A veces la mujer llora a causa de problemas mayores, pero otras veces lo hace en situaciones que no parecen tener gran importancia. Puede llorar en tiempo y fuera de tiempo. Sin embargo, esos llantos no se deben a falta de disciplina, sino a su naturaleza impresionable y sensible. Puede llorar como resultado de tensiones reprimidas, o bien cuando se siente emocionada, herida o feliz. Durante esas ocasiones, la mayor parte de las mujeres aprecian expresiones de ternura y de simpatía de parte de sus cónyuges, que les indiquen que ellos aprecian sus emociones. En cambio, otras prefieren llorar a solas. En la mayor parte de los casos, un buen llanto es una especie de terapia.

Tensión premenstrual

Los hombres debieran tratar de comprender los factores psicológicos que ocurren durante la tensión premenstrual y anticiparse a probables cambios emocionales. Alrededor de cinco días antes de la menstruación, el contenido de estrógeno en la sangre es elevado, lo que hace que el cuerpo retenga líquidos. En algunos casos el líquido retenido puede representar hasta dos kilos y medio de exceso de peso. Esta hinchazón de los tejidos sumada a las hormonas recientemente vertidas, con frecuencia produce pereza o indolencia, depresión, tensión y hasta calambres.

Numerosos problemas maritales se presentan justamente antes de la menstruación, por lo que la esposa requiere muestras especiales de atención, afecto y seguridad, aunque se encuentre de mal talante. Es mejor no de-

PRIORIDADES

Según su actual estilo de vida, ordene los componentes de la siguiente lista de acuerdo con sus propias prioridades. Coloque el número uno frente a lo que usted considera que es de máxima prioridad. Coloque el número dos frente a lo que venga después y así sucesivamente. Si desea puede añadir nuevos puntos a la lista.

Cónyuge
Pasatiempos
Hijos
Dios
Trabajo fuera del hogar
Responsabilidades en el hogar
Iglesia
Trabajo
Recreación
Actividades sociales
Deportes
Bienes materiales

Ahora reordene esta lista de acuerdo con la importancia que usted atribuye a cada cosa. ¿Cuáles son las diferencias significativas entre las dos listas? ¿Hay cambios que deben efectuarse? Si es así, haga una lista de ellos.

¿Qué pasos está usted dispuesto o dispuesta a dar para efectuar esos cambios?

cidir durante este período cuestiones familiares importantes. Si la esposa está consciente de las tensiones que existen en ella, puede hacer un esfuerzo para controlarse, y lo mismo su marido. En esas ocasiones él debe hacer todo lo posible por ayudar en la casa para que la situación hogareña continúe sin tropiezos.

No desea cosas sino atención

La sociedad actual coloca gran énfasis sobre la adquisición de cosas materiales. Como resultado, los hombres sufren ataques de corazón a edades cada vez más tempranas debido al exceso de tensión. Sin embargo, en realidad pocas mujeres quieren más cosas, porque las cosas nunca podrán tomar el lugar de un esposo amante.

En un momento u otro, todos los hombres deben enfrentarse a la realidad de que el tiempo pasa y de que la vida de su esposa se va desvaneciendo ante sus mismos ojos. Los aniversarios de boda han llegado y han pasado, y los años han transcurrido. Pronto los hijos habrán salido del hogar, y el esposo puede ser que descubra que está viviendo con una desconocida a quien llama su esposa. Si éste es el caso del lector, puede ser que necesite volver a evaluar sus actividades para ver si realmente merecen su tiempo y su esfuerzo. ¿Qué desea usted recordar al final de sus días? Si no busca riquezas ni fama, ¿qué es lo que desea? A menos que haya experimentado el calor de los vínculos familiares, el servicio prestado a los demás y un intento sincero de servir a Dios, lo demás no tendrá mucho sentido.

Lo que las mujeres necesitan saber acerca de los hombres

En numerosas ocasiones he preguntado a las esposas que asisten a mis clases sobre vida matrimonial, por qué decidieron asistir a ellas. Lo he hecho con el fin de adaptar mejor mis presentaciones a sus necesidades y también para aumentar la eficacia de mis clases. La respuesta abrumadora ha sido su deseo de comprender mejor a los hombres. La forma amplia e intensiva con que trato ese tema las ha dejado satisfechas.

Aunque no todos los hombres son iguales, lo que se dice a continuación puede ayudar a una esposa a comprender que su marido está actuando normalmente cuando presenta ciertas actitudes, acciones y tendencias que son básicamente masculinas.

Identidad masculina

Las células del cuerpo de la mujer son genéticamente distintas de las del cuerpo del varón. El contenido genético de las células masculinas convierte a un hombre en varón. Se siente orgulloso de ser varón y de todas las características que lo distinguen de una mujer. En verdad, si piensa que no tiene ciertas características masculinas, inventará una cantidad de subterfugios para ocultar ese hecho del resto de la gente, como también de su esposa. Puede ser que algunos actúen en forma autoritaria, con sarcasmo y con ironía. O puede ser que hablen con violencia, que presenten argumentos racionales y lógicos, o bien que sean tacaños. Aun las personas más allegadas a ellos puede ser que no alcancen a detectar los subterfugios que han inventado para proteger su masculinidad.

¿Ha hecho usted alguna vez una observación casual a su marido, a la que él ha reaccionado violentamente? ¿O bien se refugió en el silencio? Usted se habrá preguntado exasperada qué ha dicho que le ha caído mal. Tal vez sin saberlo tocó un punto sensible de su personalidad. Por eso es importante conocer a fondo al cónyuge.

La mayor parte de las veces, las esposas no atacan deliberadamente a sus maridos con observaciones crueles o hirientes, con la intención de herirlos. Por regla general lo hacen inocentemente o sin pensar. Pero comentarios como los siguientes: "¿A eso llamas ser hombre?", "¡Ya es tiempo que madures!", "Debieras ponerte los pantalones" o "¿Qué pasa que cada vez estás más calvo?", son observaciones cortantes hechas no solamente con la intención de destruir la dignidad del hombre, sino también de dejarlo en ridículo.

Una esposa casi destruyó la carrera de su marido por la costumbre de burlarse de él. Se inició como vendedor de un producto que a él le gustaba y por el que sentía gran entusiasmo. Pero cuando llegaba a su casa en la noche, deseoso de recibir expresiones de ánimo y de aprecio de su esposa, ella lo recibía con estas palabras: "Vamos a ver cómo le ha ido hoy a este vendedor genial. ¿Has traído dinero de tus ventas o solamente una o dos amonestaciones del gerente? Me imagino que recuerdas que la semana que viene debemos pagar el alquiler de la casa". La esposa actuó en la misma forma durante años, pero a pesar de sus burlas constantes, el marido siguió trabajando movido por su fuerza de voluntad.

Actualmente es presidente ejecutivo de una gran compañía industrial. ¿Y su esposa? El se divorció de ella y se casó con otra mujer que le proporciona el afectuoso apoyo que la otra le había negado. Y la primera esposa no puede comprender por qué perdió a su marido. "Después de todos los años que pasé con él y que me sacrifiqué por él —dice a sus amigos—, mi marido me abandonó para casarse con una mujer más joven, cuando ya no necesitaba mi trabajo de esclava. ¡Esa clase de hombre se lo regalo a cualquiera!"

Tal vez ella nunca reconoció que todo hombre anhela tener con su esposa una relación tan privada e íntima que le permita bajar la guardia y dejar correr sus sentimientos reprimidos en forma libre y segura. Sueña con esta clase de intimidad y se siente chasqueado cuando no la encuentra. Desea confiar a su esposa secretos íntimos y cosas que no compartiría con nadie más.

Actividades fuera del matrimonio

Cuando un hombre experimenta sentimientos de realización y gozo, generalmente desea llevar a cabo actividades fuera del matrimonio, tales como invitar a sus amigos a casa, tener una fiesta o llevar a cabo grandes planes en relación con su trabajo. Con eso no está tratando de atentar contra su relación matrimonial, sino que está procurando llamar la atención sobre sí mismo. Ese proceder adopta distintas formas de acuerdo con la personalidad particular de cada hombre, pero en todos los casos obedece al deseo de llamar la atención sobre sí mismo. Debido a que a las mujeres les gusta saborear el calor de momentos felices y revivir la experiencia una vez tras otra, a veces se sienten confundidas o amenazadas por este aspecto de la personalidad masculina. Pero esa necesidad de buscar la compañía y la aprobación de otras personas es un aspecto más de la personalidad del varón.

El hombre necesita relacionarse con personas fuera del hogar y también tener intereses ajenos a la familia. Con frecuencia esas actividades lo convertirán en mejor esposo y fortalecerán la imagen de sí mismo y sus sentimientos de individualidad, porque rompen la monotonía y también le proporcionan la oportunidad de desembarazarse del dasánimo y del descontento. La esposa debiera permitir que su marido tenga sus propios intereses y pasatiempos favoritos sin hacerlo sentirse culpable. Algunas mujeres luchan con sus esposos debido a esto, pero aunque ganen la batalla, de todos modos pierden, porque el mayor deseo de un marido dominado es escapar.

Objetivos masculinos

A veces una mujer no alcanza a comprender las prioridades que el hombre atribuye a las cosas de la vida; por ejemplo, que en algunas ocasiones se ve obligado a darle preferencia a su trabajo en lugar de dársela a su esposa. El mundo de los negocios y las preocupaciones del trabajo a veces imponen grandes presiones a los hombres. Como resultado, éstos tienen diez veces más muertes accidentales, suicidios y quebrantos nerviosos que las mujeres. Pero la mujer pocas veces comprende el peso que el hombre debe soportar para ganar el dinero que necesita, tener éxito en su carrera y abrirse paso en la vida, porque los hombres pocas veces hablan de eso. No quieren preocupar a sus amadas esposas.

El hombre en general aspira a mejores posiciones en su trabajo, cosa que la mayor parte de las mujeres no alcanzan a comprender. La mujer a veces supone equivocadamente que su marido trabaja tan duramente con el único fin de ganar más dinero, pero en muchos casos eso no es verdad. La mayor parte de los hombres necesitan sentirse en competencia y alcanzar el éxito para satisfacer necesidades masculinas básicas. Un hombre puede satisfacer mejor las necesidades de su esposa y sentirse más feliz y más romántico cuando piensa que ha tenido éxito en algo.

Algunas mujeres objetan las decisiones de sus esposos de invertir dinero, de expandir sus negocios, de cambiar de ocupación, y de mudarse a otra ciudad. La revista *Woman's Day* entrevistó a las esposas de varios hombres famosos para ver qué parte habían desempeñado en el éxito de sus maridos. A continuación damos algunos resultados.

Elizabeth Fulbright, esposa de un conocido senador nacional, habló en nombre de muchas esposas cuando dijo: "Si un hombre no se siente feliz en lo que está haciendo, tampoco pue-

MIS NECESIDADES

Los esposos deben completar las siguientes frases:

1. Quisiera que mi esposa comprendiera mi necesidad de...

2. Mi esposa podría hacer agradable nuestro hogar mediante lo siguiente...

3. Cuando me siento desanimado debido a las presiones de mi trabajo, me gusta que mi esposa...

4. Cuando vuelvo a casa del trabajo, quisiera que mi esposa me reciba arreglada en la siguiente forma...

5. Mi esposa contribuye a edificar mi identidad masculina haciendo lo siguiente...

6. Me siento incómodo cuando mi esposa me desmerece haciendo lo siguiente...

7. Mi esposa podría contribuir a disminuir las presiones bajo las que me encuentro haciendo lo siguiente...

8. Me gustaría que mi esposa apoyara mis intereses fuera del hogar haciendo lo siguiente...

9. Quisiera que mi esposa manifestara más interés en...

de sentirse feliz su esposa. Cuando se comprende esto, resulta mucho más fácil aceptar un cambio de carrera, aun cuando éste parezca riesgoso".

El senador George McGovern, por ejemplo, había cambiado dos veces de carrera antes de dedicarse a la política. "La primera vez que se presentó como candidato —dice su esposa—, las probabilidades estaban contra él. Todos se lo advirtieron, pero él de todos modos ganó. ¡Me alegro tanto de no haberlo desanimado en esa ocasión!".

Un hogar agradable al cual llegar

La Dra. Ana K. Daniels, consejera matrimonial y autora, dice lo siguiente: "Crear las condiciones para tener un hogar agradable al cual llegar es lo más hermoso que una mujer pueda hacer". "Aunque tenga que dejar de hacer otras cosas —me dijo una esposa—, siempre encuentro tiempo para darme un baño que me relaje y para vestirme en forma atractiva antes de que mi esposo vuelva a casa. Sé que mi estado de ánimo es más importante que cualquier otra cosa". Este es un buen consejo. Una mujer que cuida su apariencia, que se peina el cabello y se viste con prendas que realcen su femineidad, tendrá un esposo que deseará regresar sin tardanza al hogar al final del día.

A casi todos los hombres les gusta pasar un rato tranquilo después de un duro día de trabajo. Esto resulta difícil cuando hay niños pequeños, pero es posible recoger sus juguetes y lavarles las manos y la cara antes de la llegada del papá. Si se los alimenta primero estarán tranquilos cuando él llegue. Los niños de más edad pueden hacer sus tareas escolares a la hora de la venida del padre.

Y cuando la esposa sale a recibirlo a la puerta, no debe hablarle en seguida de los problemas que ha tenido ni del mal comportamiento de los niños. El esposo se encontrará en mejores condiciones de ocuparse de los desastres ocurridos durante el día después de haber pasado un tiempo de relajación. Si la esposa detecta que él ha tenido un día especialmente duro o agotador, sería mejor que dejara las malas noticias para otro día, si es que pueden esperar.

El lugar de refugio del esposo

Un hombre necesita un lugar de refugio, a fin de recuperarse de las situaciones problemáticas y generadoras de tensión que ha pasado durante el día. A él no le importa tanto el aseo escrupuloso de la casa ni la decoración de las piezas, como una atmósfera tranquila, pacífica y agradable en su hogar. La esposa sabe que los colores, la iluminación y los muebles del hogar pueden contribuir a la relajación y tranquilidad del esposo. Sabe también que la música suave puede aflojar la tensión, aliviar el aburrimiento y poner de buen humor a su marido.

Esposos desanimados

Las presiones que surgen de la responsabilidad de ganar el sustento de la familia, a veces hacen para la esposa muy difícil de vivir con su marido. El mal humor, la depresión y el desánimo son comunes entre los hombres que luchan contra las fuerzas del mundo de los negocios o del trabajo en la oficina, en la fábrica o en el taller. Sin embargo, una mujer se encuentra en una posición desde la que puede proporcionar apoyo moral a su esposo durante estos períodos de desánimo, pero a veces no sabe cómo hacerlo. Yo misma lo ignoraba en un tiempo. Cuando mi esposo volvía a casa desanimado y comenzaba a contarme sus problemas, lo escuchaba cuidadosamente, pero tan pronto como él terminaba le lanzaba todas *mis soluciones.* Me sentía confundida y molesta cuando él no recibía mis sugestiones con entusiasmo.

En ese tiempo no comprendía que lo que necesita un hombre cuando experimenta un problema es que se lo escuche con atención, y no que se le dé las soluciones. Quiere tener alguien con quien abrirse sin ser interrumpido, alguien que lo escuche con atención y simpatía. Una mujer que piensa tener todas las respuestas hace que su esposo se sienta mal, inferior e innecesario.

Si su esposo pasa por una situación problemática y desea conversar con usted, escúchelo con cariño y atención. Su actitud de comprensión y su deseo de escuchar le demostrarán que usted siente preocupación por él. Si no le habla de sus problemas, no procure forzarlo a que lo haga. Puede ser que procure ocultar de usted algunos fracasos. Si continúa desanimado durante algún tiempo, acéptelo. Concédale todo el tiempo que él necesite para sobreponerse a su problema, y apóyelo mediante palabras de aprecio, de aprobación y de confianza en su capacidad.

"Si tú dejas de tener fe en mí —le dijo cierta vez un hombre a su esposa—, me sentiré perdido. Pero mientras creas en mí podré enfrentarme al mundo". Creer en el esposo resulta más fácil que demostrarlo. Pero más que ninguna otra cosa, un hombre necesita una esposa que lo comprenda. Ella no necesita entender todas las complicaciones del problema, sino solamente escuchar con simpatía la exposición de las necesidades momentáneas del marido. La mujer que puede escuchar los problemas del marido, que comparte sus preocupaciones y sus éxitos, y que contribuye a edificar la confianza en sí mismo, también participará profundamente de sus afectos.

Trate de comprender

Francisco de Asís oró: "¡Señor! Ayúdame a procurar comprender antes que ser comprendido". Esta misma tendencia puesta en práctica en el matrimonio, avivada por la influencia del Espíritu Santo, podría transformar completamente las incomprensiones de una pareja conyugal. De otro modo, cuando un cónyuge se preocupa nada más que de ser comprendido por el otro, se torna egoísta y resentido.

Paul Tournier, conocido psiquiatra cristiano, piensa que existe una necesidad tan grande de comprensión entre los cónyuges, que ha dicho que el esposo y la esposa debieran preocuparse en forma máxima de la tarea de descubrir cuáles son las cosas que motivan al otro cónyuge, que le agradan, que le desagradan, que teme, que lo preocupan, que son objeto de sus sueños, en las que cree y por qué él o ella siente de esa manera. La práctica de este consejo proporcionará a la pareja conyugal los beneficios de un matrimonio satisfactorio.

"El matrimonio es la relación existente entre un hombre y una mujer en la cual la independencia de ambos es igual, la dependencia es mutua y la obligación es recíproca".

–L. K. Anspacher.

Contenido del Capítulo

- **I. Los roles en el matrimonio**
  - A. Los roles
    1. Patriarcal
    2. Matriarcal
    3. Liderazgo compartido
    4. Lucha por el poder
  - B. El eslabón que falta
- **II. Sumisión mutua**
  - A. Cada cónyuge se somete al otro en algunos casos
  - B. Cada cónyuge reconoce capacidades individuales
  - C. Cada cónyuge está dispuesto a adaptarse durante el conflicto
  - D. Ambos son participantes
  - E. Ambos dan y toman
- **III. La relación sustentadora**
  - A. Definición
    1. Se basa en la mutua sumisión
    2. Ambos participantes abandonan la idea de poder y control
    3. Ambos están dispuestos a negociar y hacer ajustes para saldar las diferencias
    4. El esposo tomará la iniciativa en algunos sectores debido a su capacidad individual

Capítulo 7

Apoye a su Cónyuge

Una vez transcurridos los primeros momentos de felicidad en el matrimonio y cuando ambos cónyuges se encuentren ya establecidos en el hogar, surge la cuestión de la distribución de las responsabilidades. ¿Debiera la esposa trabajar fuera del hogar? Si lo hace, ¿le ayudará el esposo en las tareas hogareñas y en el cuidado de los hijos? Puesto que ella probablemente ganará casi tanto como él, ¿debiera él seguir haciendo todas las decisiones de la familia?

En los días de los abuelos, la situación era mucho más sencilla. Después de la ceremonia del casamiento, se instalaban en el nuevo hogar y la esposa iniciaba sin discusión las tareas que le son características: preparación de la comida, limpieza de la casa, lavado de la ropa, coser y remendar, y criar a los hijos. El esposo, por su parte, araba la tierra, ordeñaba las vacas y hacía otros trabajos pesados para ganar el sustento. Los roles correspondientes a cada uno estaban claramente definidos. Pero en la actualidad no ocurre lo mismo. Toda clase de artefactos mecánicos han aliviado a la esposa en las tareas de la cocina, en el lavado de la

---

5. La esposa tomará la iniciativa en otros sectores debido a su capacidad individual

B. El esposo que presta apoyo
1. Comprende la posición de la esposa
2. Ofrece liderazgo y apoyo
3. Detecta los sectores con problemas
4. Asume el liderazgo espiritual
5. Toma iniciativas destinadas a proveer protección

C. La esposa que presta apoyo
1. La sumisión no es:
   a. Anular la propia personalidad
   b. Sumirse en una dependencia invalidante
   c. Servilismo
   d. Obediencia ciega
2. La sumisión es la disposición a adaptar los derechos de uno a los derechos del otro
3. Situaciones difíciles
   a. Un esposo indigno
   b. El dirigente débil
   c. El esposo no cristiano

D. Beneficios de una relación sustentadora

ropa y en otros quehaceres hogareños, lo que le ha dejado tiempo para competir con los hombres en el mercado del trabajo. La tendencia que se observa actualmente en el matrimonio es de alejamiento del sistema patriarcal, en el cual el hombre es la cabeza de la familia y su palabra es ley (o del sistema semipatriarcal, en el cual su palabra es ley la mayor parte de las veces). La tendencia que se observa en esta época se orienta más hacia una relación de igualdad.

Frente a este cambio de actitudes, muchos matrimonios cristianos se sienten confundidos y se preguntan cómo se pueden relacionar con los roles tradicionales de generaciones pasadas y con las pautas bíblicas referentes a la familia.

Qué son los roles

Los roles son un conjunto de obligaciones sociales que tanto el esposo como la esposa utilizan en su interacción el uno con el otro, con el propósito de introducir orden, continuidad y posibilidad de predicción en el matrimonio. Sin embargo, hay investigaciones que demuestran que pocas parejas conyugales reconocen los roles que deben desempeñar. Esto es lamentable, porque el fracaso en el desempeño de los roles puede provocar tensión conyugal y hasta resultar desastroso para el matrimonio.

En la cultura occidental existen cuatro orientaciones básicas de los roles:

1. *Patriarcal.* En una *relación patriarcal* el liderazgo del esposo es indiscutido. Su palabra es ley. El determina los reglamentos y procedimientos que se aplican a toda la familia. Existe un amplio apoyo bíblico, especialmente en el Antiguo Testamento, para cualquiera que desee asumir esta posición. Dios le dijo a Abrahán: "Porque yo sé que mandará a sus hijos y a su casa después de sí" (Génesis 18:19). El jefe de familia patriarcal puede ser que consulte o no con los miembros de su familia antes de tomar una determinación, lo que dependerá del grado de autoritarismo que manifieste.

2. *Matriarcado.* En el *liderazgo matriarcal* de la familia, es la esposa quien se convierte en jefe. Esta forma de gobierno de la familia es común en otras culturas, en las que ha satisfecho las necesidades sociales durante muchos años. En nuestra cultura occidental puede ocurrir cuando el esposo no se hace cargo de su función de jefe del

hogar. En otros casos se presenta cuando la mujer usurpa la autoridad.

3. *Liderazgo compartido.* Esta modalidad de liderazgo relativamente nuevo ha surgido como resultado del movimiento de liberación femenino. En esta clase de liderazgo, tanto el esposo como la esposa asumen la dirección de la familia como dos personas con igual autoridad y control. Las decisiones de ambos tienen la misma importancia.

4. *Lucha por el poder.* En esta forma de gobierno de la familia, tanto el esposo como la esposa compiten por ocupar la posición de líder. El lucha contra ella cuando ella intenta llevar a cabo una decisión, y ella por su parte procura usurpar la autoridad de él. Los contrincantes nunca han establecido reglas claras, por lo que la autoridad en la familia pasa de un cónyuge al otro, lo que depende de quién gana la última batalla.

Tal vez el lector se pregunte: "¿Eso es todo lo que hay para elegir?" No. A continuación veremos algo más.

El eslabón que falta

Casi todo el material que he consultado acerca del tema de los roles en el matrimonio comienza con Efesios 5:22: "Las casadas estén sujetas a sus propios maridos, como al Señor". Pocas autoridades explican *cómo* la esposa debe sujetarse a su marido, *cuándo* debe sujetarse a él, y si debe hacerlo *en todas las cosas*, o cómo resolver el problema de la sujeción cuando el esposo no es cristiano.

El énfasis que en la actualidad se está colocando en la vida familiar ha hecho revivir el consejo apostólico de Efesios 5:25: "Maridos, amad a vuestras mujeres, así como Cristo amó a la iglesia". Esta información adicional equilibra lo que al comienzo parecía una acción unilateral. Aun el esposo debe preguntarse *cómo* debe amar, *cuándo* debe amar y *qué actitudes* debe manifestar al amar a su esposa.

A pesar de esto, todavía existe un principio que ha sido pasado por alto. Antes de los dos versículos de Efesios 5 que hemos mencionado, el autor de esta epístola coloca ambos principios en perspectiva, y sin embargo casi nunca se menciona ese pasaje. En Efesios 5:21 leemos: "Someteos unos a otros en el temor de Dios". Es el gran principio que sirve de fundamento a las relaciones entre cristianos y se encuentra respaldado por otros pasajes bíblicos, como los siguientes: "Someteos a toda institución humana" (1 S. Pedro 2:13), y "Sobrellevad los unos las cargas de los otros" (Gálatas 6:2).

Aquí está el eslabón que falta en el tema de los roles maritales. De modo que no se trata de una cuestión de sumisión y dominación. No es una relación entre amo y esclavo o bien entre dictador y súbdito dirigido. Se trata, en cambio, de una relación de *sumisión mutua.*

El significado de la sumisión

Antes de definir *la sumisión mutua,* conviene definir qué significa *sumisión.* Este término está coloreado de una fuerte tonalidad emocional en nuestra sociedad y despierta resonancias como las siguientes: envilecimiento, pérdida de la identidad, servilismo, obediencia ciega y pasividad. Sin embargo, eso no tiene nada que ver con el significado de esta palabra en el contexto bíblico. En este caso, la sumisión es la buena disposición de un cónyuge a adaptar sus propios derechos a los del otro cónyuge. Según el Nuevo Testamento, la sumisión constituye el centro mismo de toda relación cristiana. Ha sido modelada siguiendo la actitud de Cristo

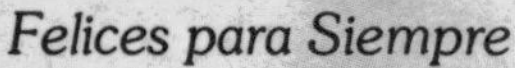

quien voluntariamente se sometió a su Padre. El nunca fue obligado a obedecer, sino que cumplió voluntariamente.

Según esto, la expresión "sumisión mutua" indica que la relación matrimonial no es tan unilateral como algunos han pensado. No significa que el esposo es el que siempre da las órdenes y la esposa la que siempre se somete, porque esta interpretación de la enseñanza bíblica deja fuera el concepto de reciprocidad que encontramos en Efesios 5:21, y que se aplica tanto a la relación matrimonial como a otras relaciones sociales. La sumisión mutua significa que hay momentos cuando un cónyuge cede a los deseos del otro. Esta clase de sumisión reconoce la capacidad y los dones especiales de cada cónyuge. Cada cónyuge demuestra su disposición a adaptarse cuando se presenta un conflicto. Por cierto que la sumisión mutua puede funcionar únicamente cuando ambos cónyuges consideran que el uno es igual al otro. Cuando una persona inferior se somete a otra superior se produce dominación y no sometimiento. Podemos ver el ejemplo supremo de sumisión mutua en la relación de Dios Padre y Jesús. Jesús se encontraba perfectamente sometido a la voluntad de su Padre, pero ese hecho no alteró la igualdad que tenía con su padre. Las parejas conyugales debieran tener esta clase de relación.

En el matrimonio se requiere una cantidad considerable de sometimiento mutuo. Mi esposo y yo lo hemos aprendido. El prefiere la música clásica y a mí me gusta la semiclásica. Debido a esto, él toca su música favorita en mi ausencia. A mí me gusta acostarme temprano y levantarme temprano, pero a mi esposo le gusta trabajar hasta tarde. El es pesimista. Yo soy optimista. A él le gusta gastar, pero yo prefiero ahorrar. El no es muy organizado, y en cambio a mí me preocupa mucho la eficiencia. Sin el principio de la sumisión mutua, estas diferencias de personalidad producirían una relación matrimonial insostenible.

Cada una de las cuatro configuraciones de roles que ya hemos considerado dejan algo que considerar cuando se aplican en la sociedad cristiana de la actualidad. El sistema en el cual el jefe de familia es un dictador absoluto no tiene cabida en esta época de igualdad y liberación. Anula la personalidad de los derechos de la esposa, y los resultados que produce son destructivos tanto para el marido como para la mujer como individuos y también para la relación matrimonial.

El sistema de matriarcado suele crear numerosos problemas sociales, incluyendo en algunos casos la formación de hijos homosexuales. "El aumento de homosexualidad entre nuestros hijos jóvenes es uno de los mayores fracasos de la vida familiar norteamericana... En un tiempo se creía que los homosexuales nacían con esa tendencia... Ahora se acepta en general que ésta ... es el resultado de experiencias infantiles, con frecuencia fomentada por una madre excesivamente afectuosa y un padre desinteresado o negligente" (David Wilkerson, *Parents on Trial* [Los padres ante el tribunal], pp. 115-116). Se sabe que las causas de la homosexualidad son complejas, y hasta es posible que todavía no conozcamos plenamente cuáles son, pero es indudable que una figura materna fuerte y un padre débil son factores contribuyentes.

Aun las parejas más progresistas que tratan de funcionar dentro de un liderazgo compartido, encuentran una cantidad de frustraciones cuando tratan de resolver diversos problemas. Mi esposo y yo somos entusiastas de la bicicleta. Nos gusta dar paseos en bicicleta especialmente por la noche. Una noche, mientras pedaleábamos alegremente nos aproximamos a un lugar en el que debíamos doblar a la derecha o a la izquierda, pues no se podía seguir de frente. Como ninguno dijo en qué dirección deseaba ir, chocamos al llegar a la esquina, porque mi marido dobló a la izquierda y yo hacia la derecha. Aun en cosas pequeñas como ésta, alguien debe tomar la iniciativa. La popularidad del liderazgo compartido ha aumentado en estos días, pero en realidad resulta difícil, si no imposible, aplicarlo en la vida práctica de la familia, porque en cualquier situación de grupo siempre hay uno de los integrantes que se convierte en líder.

La competencia resultante de la lucha por el poder termina convirtiendo a los cónyuges en personas amargadas y resentidas y genera mucha confusión en los hijos. La competencia es uno de los perversos enemigos de una relación matrimonial de éxito. En el matrimonio, una pareja desea tener intimidad, comprensión y reconocimiento del valor personal, pero no competencia.

Una relación sustentadora

Quisiera presentar ahora una alternativa en la configuración de este rol, que he denominado "relación sustentadora". *Se basa en el concepto cristiano de la sumisión mutua como estilo de vida en todas las relaciones interpersonales.* En la relación sustentadora, ambos cónyuges renuncian voluntariamente al ejercicio del poder absoluto para dictar y controlar al otro o al resto de la familia. Ninguno afirma que sus métodos son los mejores ni insiste en una obediencia absoluta. Más bien, cada uno se muestra dispuesto a negociar y a efectuar los ajustes necesarios hasta obtener acuerdo y conformidad.

Habrá ocasiones cuando el esposo actuará como jefe debido a su competencia en determinados sectores. En cambio la esposa tomará la iniciativa en otras áreas de la vida matrimonial debido a su capacidad en esas materias. Sin embargo, ambos cónyuges estarán de acuerdo en que el esposo debe asumir la responsabilidad general en la dirección de la familia, de acuerdo con las enseñanzas bíblicas registradas en la Epístola a los Efesios que ya consideramos.

Sí, en la relación sustentadora es el esposo el que toma la iniciativa. Sin embargo, su rol no es el de un dictador, sino el de presidente de una organización bien establecida en la que cada empleado forma parte del equipo que

LA DISTRIBUCION DE LOS ROLES

Los cónyuges debieran completar individualmente el siguiente ejercicio acerca de distribución de roles en la familia. En la primera columna del extremo izquierdo aparece una lista numerada de funciones que deben efectuarse dentro de la familia. En la segunda columna se debe indicar quién cree usted que debe desempeñar esas funciones. (Use las siguientes claves: M—Marido; E—Esposa; AM—Ambos, pero el marido más que la esposa; AE—Ambos, pero la esposa más que el marido; AI—Ambos igualmente.) En la tercera columna debe escribir quién desempeña la función en la familia. En la cuarta y quinta columnas debe indicar brevemente el criterio seguido y la fuente que ha servido de base para adoptar ese criterio. Cuando no tenga aplicación ninguno de los puntos, páselo por alto y siga adelante.

	¿Quién debiera tener la responsabilidad?	¿Quién la tiene en su matrimonio?	¿Qué criterio empleó para determinar la responsabilidad?	¿Cuál es el origen de su criterio?
Ejemplo: Limpieza de la casa	E	E	Trabajo de mujer	La forma como fui criado (a)
1. Disciplina de los hijos				
2. Compras en general				
3. Mantener al día la libreta de cheques y las finanzas				
4. Preparación de las comidas				
5. Pedir la comida cuando se va al restaurante				
6. Iniciación de las actividades sexuales				
7. Conducción del automóvil				
8. Cortar la grama o zacate				
9. Lavar los platos				
10. Elección de los muebles				
11. Elección del entretenimiento para la familia				
12. Elección del lugar de vacaciones				
13. Compra de la ropa para los niños				
14. Determinación del método anticonceptivo				
15. Alimentación de los hijos				
16. Lavado y planchado				
17. Hacer la cama				
18. Dar permisos a los hijos				

Analice los resultados con su cónyuge antes de hacer la lista final de la determinación de los roles.

convierte a la firma en una empresa de éxito. En este caso, el presidente trabaja en estrecha relación con su vicepresidenta, la esposa.

En nuestro hogar utilizamos el método de presidente y vicepresidenta. Mi esposo es indiscutiblemente el presidente, pero como cualquier ejecutivo competente, analiza sus planes y decisiones conmigo, que soy la vicepresidenta. Yo, como vicepresidenta, tengo responsabilidad en ciertos sectores, que desempeño por mí misma debido a mi competencia e inclinaciones en esas materias. En cambio en otros casos consulto con él. Tenemos reuniones frecuentes entre nosotros en las que analizamos nuestros planes y objetivos. El respeta mis opiniones, habilidades y experiencia y desea tener mi plena participación en las cuestiones familiares.

Un esposo sustentador

El plan original de Dios para la familia era que el esposo y la esposa vivieran juntos en armonía perfecta. Antes de la entrada del pecado, Dios era el guía del hogar, y Adán y Eva estaban sometidos a él. La sumisión mutua era la manera natural de vida para ellos.

El contexto del relato que el Génesis presenta de la primera familia, ha conducido a muchos a concluir que Dios designó a Adán como el jefe de la familia. Pero ciertamente Dios no designaría a un hombre para que se convirtiera en líder, sin proporcionarle al mismo tiempo las cualidades necesarias para el liderazgo. Algunos hombres tienen más capacidad que otros, pero todos ellos tienen algunas cualidades, y las cualidades necesarias para el liderazgo también pueden desarrollarse.

Sin embargo, el rol de Eva como "ayuda idónea" (Génesis 2:18) no era menos importante que la posición del hombre. La asunción de roles diferentes nunca debiera ser motivo de desigualdad. Dios creó a los hombres y mujeres para complementarse mutuamente, por lo que el matrimonio es una relación interdependiente y de mutua sustentación. Aunque los roles masculinos y femeninos puedan diferir, son igualmente importantes y necesarios para el bienestar de una sociedad saludable.

En qué consiste la sumisión

Cuando un hombre adopta el papel de líder en el matrimonio, es fácil para él olvidar que la sumisión mutua, y no la dominación, es el objetivo que debe perseguir. El esposo sustentador se pondrá en el lugar de su esposa y considerará la vida matrimonial a través de los ojos de ésta, reconociendo que el deseo de ella de tener un hogar feliz, generalmente es más intenso que el suyo propio. Sin embargo, la esposa tiene cierto grado de dependencia de él, de su liderazgo, de su comprensión, de su juicio y de su cooperación para cumplir sus objetivos. Por eso él debiera comprenderla, animarla y ayudarla, para que ella pueda realizar sus planes.

Ella anhela una dirección del hogar bien establecida, sin contratiempos, con un esposo cariñoso y satisfecho, y con hijos bien educados. También desea tener las comodidades necesarias para el hogar, lo que se requiere para sustentar la vida y buena salud, y además, oportunidades y libertad para ella misma. Sin embargo, para llevar a cabo esos objetivos necesita el apoyo activo de su esposo, su preocupación, su comprensión, su sabiduría y su dirección.

Si él, en nombre del liderazgo, niega a la esposa la posibilidad de realizar sus objetivos, pueden surgir problemas muy serios. Puede ser que la individualidad de ella quede sofocada. Puede ser que sienta que su personalidad se anula, por lo que tal vez procurará tomarse el desquite contra su marido. La supresión constante de los deseos de la esposa puede terminar por matar los sentimientos de ternura y amor. Si se siente completamente dominada y suprimida, puede desarrollar dolores de cabeza, úlcera, insomnio y otros problemas psicosomáticos. Necesita libertad para moverse en su esfera, para llevar a cabo los cambios que considere necesarios, y también necesita disfrutar del ánimo de un esposo sustentador.

Un esposo sabio, por lo tanto, comprenderá cuál es la posición de su esposa y no le planteará exigencias irrazonables, sino que comprenderá perfectamente su posición. El también se someterá cuando sea necesario, pero no siempre cederá a todos los deseos de su esposa. Tratará con ella en forma justa. Tomará en cuenta sus sentimientos, simpatizará con su posición y reconocerá sus derechos en las distintas situaciones que surjan. Una relación sustentadora mantiene el respeto, la justicia y la bondad en las transacciones de todos los días.

El hombre necesita comprender que la mujer se siente segura cuando funciona bajo su liderazgo justo y considerado. Dios le dijo a Eva: "Tu deseo será para tu marido" (Génesis 3:16). La mujer necesita y desea depender de un esposo a quien respeta, y su liderazgo puede demostrar en forma concreta su amor y consideración por ella. Su respeto por su marido aumenta al observar sus esfuerzos por conducir a la familia por el buen camino. Y además de otras cosas, la magnitud de este respeto aumenta o disminuye su habilidad para proporcionar una respuesta sexual continua que resulte satisfactoria para ambos y que les proporcione todo el placer a que tienen derecho.

El liderazgo sustentador

La mayor parte de las mujeres, independientemente de cuán tradicionales o liberadas se consideren, encuentran placer al relacionarse con un hombre que sea cortésmente decidido, que irradie masculinidad, y que también sea sensible a las necesidades de la mujer y pueda despertar sentimientos positivos en ella. La verdad es que no hay muchos hombres que sepan cómo ejercer un liderazgo "suave". Pero el hombre que verdaderamente desea complacer a su esposa debe considerar algunos aspectos del liderazgo sustentador.

El liderazgo difiere ampliamente del autoritarismo. El autoritarismo reprime la libertad individual; un verdadero dirigente permite la libertad de pensamiento y de acción. El autoritarismo es inflexible; un verdadero dirigente manifiesta comprensión. El autoritarismo no cede; el verdadero dirigente sabe adaptarse. El autoritarismo no supone que otra persona está dispuesta a cooperar, por lo tanto dicta; el verdadero dirigente dirige, motiva, inspira e influencia con el fin de obtener cooperación voluntaria para llevar a cabo un objetivo común.

El amor mantiene el equilibrio dentro del desempeño de los roles, y por lo tanto no rebaja a nadie, permite una discusión abierta y honrada (aun cuando haya divergencia de opinión), e incluye un sistema seguro para efectuar decisiones, resolver problemas y establecer objetivos. Cuando el esposo considera seriamente la orden de amar a su mujer (Efesios 5:25), establece una sociedad en la cual nunca obligará a su esposa a obedecer, sino que le ofrecerá sabiamente un liderazgo moderado que ella podrá seguir sin dificultades. Este liderazgo sustentador producirá armonía y felicidad para ambos y será una bendición de Dios.

A *Plan de acción familiar.* El cónyuge responsable de la dirección de los asuntos familiares, establece un plan de acción y adopta las decisiones necesarias para alcanzar los objetivos fijados. Bajo su dirección se establecen reglas de conducta para la familia, y él se ocupa de que éstas se cumplan. Naturalmente el líder sustentador pedirá el parecer de su cónyuge, de modo que los planes de acción y los objetivos resulten de la colaboración de ambos.

Algunos hombres interpretan mal esta posición y se tornan dictatoriales y dominadores. Este autoritarismo proscribe la libre acción, el crecimiento individual, el intercambio de ideas y la libertad para introducir cambios. Sin embargo, una relación de carácter sustentador no deja lugar para la dictadura.

B *División de tareas.* Cualquier presidente de una compañía que trate

de manejar la firma él solo, sin delegar autoridad, encontrará serios contratiempos. En forma similar, una cuidadosa división de la responsabilidad es necesaria en un hogar bien organizado, para que cada uno de sus miembros pueda funcionar en su sector respectivo aprovechando todo su potencial. Los deberes hogareños pueden distribuirse a cada uno siguiendo el plan tradicional, según el cual la esposa se ocupa de la preparación de los alimentos, de la limpieza de la casa, de hacer compras, del cuidado de los hijos, de coser la ropa y del lavado. Los deberes del marido pueden incluir la limpieza de garage, el cuidado del patio, el mantenimiento del automóvil y la reparación de la casa. Pero si la esposa tiene habilidad para hacer reparaciones y al esposo le gusta cocinar, no hay razón para que se impida que alteren los roles tradicionales. La flexibilidad es la clave de una relación sustentadora.

Mi esposo se da cuenta cuando he tenido un día especialmente áspero, y en lugar de dejarme sola en la cocina para que yo desempeñe mi rol, con frecuencia él se pone a ayudarme *sin que yo se lo pida.* (Si tuviera que pedírselo no sería lo mismo.) Su masculinidad no se siente amenazada si él participa en tareas que típicamente corresponden a la mujer. Asimismo, cuando él trabaja en el patio o en alguna tarea de construcción, a veces yo le ayudo sujetando las tablas, pasándole herramientas y estimulándolo con palabras de ánimo. Ambos estamos dispuestos a prestarnos apoyo cuando eso es necesario. Trabajar juntos en la realización de tareas hogareñas proporciona compañerismo, pero no es necesario ni ventajoso tomar parte en la realización de todas las tareas que corresponden al otro cónyuge. Se han realizado estudios que demuestran que las parejas conyugales que comparten el mayor número

de tareas hogareñas tienen también un mayor número de desacuerdos relacionados con el rol de cada uno. Según esto, el mejor plan que se puede seguir no es compartir por completo las tareas de cada uno, ni mantenerse completamente separado el uno del otro en los quehaceres domésticos, sino prestarse ayuda mutua cuando eso es necesario.

C *Tomando decisiones.* En una relación sustentadora, los cónyuges se consultarán mutuamente en cuestiones que conciernen a la familia y a su futuro. Resulta frustrador para un cónyuge descubrir que una decisión importante ha sido hecha sin su conocimiento. El proceso de tomar decisiones en consulta mutua refuerza la igualdad y el respeto de sí mismo.

Un esposo debiera confiar en su esposa, pedirle su opinión en cuestiones de familia o en otros asuntos, y escuchar atentamente cuando ella presenta sus ideas. Necesita su consejo, y no solamente que apruebe todas las propuestas; ella debe ser como un consejero con una captación instintiva de las situaciones que él tal vez no alcance a ver. Tal vez tenga conocimiento limitado de un problema, pero su consejo puede ser más digno de confianza que el parecer de su marido, debido a que ella no se encuentra inmiscuida en el problema que se analiza. El esposo debiera darle plena oportunidad a su esposa de expresarse, y mientras ella habla él debiera procurar "leer entre líneas" observando las señales de comunicación no verbal.

Debiera respetar la individualidad de su esposa sin suponer que ella está obligada a concordar con todas las ideas que él presenta. Una relación de sustentación permite que ambos cónyuges piensen por sí mismos y retengan sus propias opciones, intereses y actividades. Puede haber ocasiones en las cuales será necesario postergar una decisión o no tomarla del todo debido a una diferencia en las opiniones. También puede suceder que cada cónyuge tenga que tomar su propia decisión y vivir en armonía con ella antes que conformarse a los deseos del otro. La actitud sustentadora nunca se inclina ante la dictadura.

Aunque ambos cónyuges debieran estar atentos a las necesidades del otro y ayudarle a resolver los problemas, esto es especialmente válido en el caso del esposo. Una esposa necesita sentir que su marido comprende los problemas del hogar a los cuales tiene que enfrentar y que puede conversar con él acerca de sus dificultades sin sentirse rechazada. Los esposos pasivos, que proporcionan muy poco apoyo o simpatía, atentan contra la felicidad matrimonial. En resumen, cuando el marido responde en forma positiva, satisface las necesidades de su mujer de ser comprendida.

D *La conferencia de familia.* Las conferencias de familia ayudan a reducir las frustraciones y mantienen la armonía en el hogar. Debieran ser ocasiones sin estallidos emocionales, durante las cuales se comparten y evalúan los problemas y las preocupaciones. Las conferencias de familia de éxito siguen ciertas pautas.

1. Debieran llevarse a cabo fielmente todas las semanas, sin apuros, cuando todos los miembros de la familia se encuentran en un estado mental positivo. Debieran ser ocasiones informales con tantos miembros de la familia presentes como sea posible.

2. Cada miembro de la familia debiera tener una parte en la preparación de la agenda que se tratará, a fin de incluir los temas que a él le interesan. La

LA DIVISION DEL TRABAJO

Algunas parejas matrimoniales han encontrado que una división del trabajo puesta por escrito y aprobada por ambos les ha ayudado a establecer una relación sustendadora exitosa. Hacen una lista de todos los trabajos y deberes que deben llevarse a cabo y luego consideran quién tiene el tiempo, la habilidad y la pericia para hacerlos. También consideran quién está más preocupado de los diversos sectores y quién disfruta más haciendo ese trabajo.

La siguiente tabla le ayudará justamente a hacer eso. En la columna de la izquierda anote todas las responsabilidades familiares importantes. En las otras columnas coloque las iniciales del cónyuge a quien se aplican esas responsabilidades.

Responsabilidades familiares	Tiempo	Pericia	Interés	Placer
1.				
2.				
3.				
4.				
5.				
6.				
7.				
8.				
9.				
10.				
11.				
12.				
13.				
14.				

agenda debiera incluir cosas como los planes de las actividades familiares y las salidas, permisos, y problemas. Debieran analizarse todos los temas que aparecen en la lista, no importa cuán triviales parezcan en ese momento. El acto de reírse de las cosas insignificantes y el estímulo de esfuerzos cooperativos para resolver los problemas mayores pueden promover la armonía familiar. Los problemas personales pueden analizarse, por supuesto, directamente con la persona afectada.

3. La conferencia de familia debiera terminarse con una nota positiva. Debiera animarse a cada miembro de la familia con palabras de sincero aprecio por las realizaciones del pasado, tanto como los esfuerzos presentes.

E *Tomando decisiones en forma personal.* Nos guste o no, los problemas constituyen parte de la vida. Por lo tanto, es indispensable que los cónyuges sepan cómo tomar decisiones en sus respectivos sectores de responsabilidad. Es importante en una relación sustentadora poder reunir información, analizarla, extraer conclusiones rápidamente y adoptar decisiones lógicas. Las sugestiones que siguen pueden ayudarle a mejorar su capacidad de tomar decisiones:

1. *Busque la dirección divina.* Con frecuencia la gente trabaja hacia atrás al tratar de tomar decisiones. Estudian, analizan, y luchan durante días con un problema antes de someterlo a Dios. O bien, en algunos casos se enredan considerablemente y después de eso corren a Dios en busca de ayuda. Cuánto mejor sería que buscaran primero su dirección y ayuda.

2. *Reúna los hechos.* Antes de poder tomar una decisión inteligente, es necesario que conozca la situación en detalle. Una vez que disponga de toda la información, estará listo para adoptar posibles alternativas. Uno de los mejores métodos de considerar soluciones alternativas consiste en someter el problema a un análisis intensivo. En este caso, el esposo y la esposa, y aun los hijos si el tema analizado está a su alcance, exploran toda solución posible que les venga a la mente, no importa cuán extraña o ridícula pueda parecerles. Cualquier sugestión se considera como una solución posible. Comentarios como: "Esa es una idea estúpida", o bien: "Lo que acabas de decir adolece de inmadurez", no se permiten, porque interrumpirán la expresión del libre pensamiento. Es necesario tener todas las sugerencias que sea posible. Cuando crea que ya ha reunido todas las opciones posibles, debe proseguir a la etapa siguiente.

3. *Evalúe la información.* Muchas de las sugestiones presentadas se podrán eliminar inmediatamente. Otras requerirán una cuidadosa evaluación a la luz de sus valores personales, experiencia, discreción, comprensión y experiencia de otros.

4. *Adopte una decisión.* La prueba de su habilidad para tomar decisiones es la capacidad de elegir la mejor alternativa de entre una lista de posibilidades, como qué vestido comprar, qué marca de máquina de lavar adquirir, qué trabajo aceptar. Este proceso se lleva a cabo en forma subconsciente cada vez que se trata de adoptar una decisión. Sin él los hechos podrían interpretarse erróneamente, o bien podría no adoptarse la conclusión debida.

La adopción de decisiones implica una enorme responsabilidad. Una decisión inadecuada en relación con algún miembro de la familia puede deteriorar la relación personal con esa persona. Un error financiero puede significar que toda la familia tendrá que sufrir a fin de ayudar a pagar por él. Pero una decisión insatisfactoria es mejor que no tomar ninguna.

Una vez que se haya adoptado una decisión, los cónyuges no deberán decir: "¡Yo te lo dije!" En cambio, será necesario aceptar los errores, vivir con ellos y aprender de ellos. Una parte de la dinámica de una relación sustentadora requiere la posibilidad de crecer a través de los errores.

Sectores con problemas

A medida que el esposo y la esposa se esfuerzan por llegar a una relación sustentadora, resultará más fácil poner en práctica las decisiones y los procedimientos adoptados. Pero a pesar de eso se producirán estancamientos. En esos casos ambos cónyuges deberán ceder un poco en lugar de procurar forzar al otro para que obedezca. Cada uno debiera ponerse en el lugar del otro y tratar de comprender por qué opone resistencia. Cada uno debiera analizar sus propias actitudes. ¿Por qué me ofrece resistencia? ¿He descuidado de alguna manera a mi cónyuge? ¿He fallado en llevar a cabo alguna de mis

debiera pensar de nuevo su plan. Si esto falla también, haría bien en ceder a los deseos de su esposa.

Un esposo puede detestar admitirlo, pero de tiempo en tiempo cometerá errores en su intento por guiar a la familia a través de la confusión de valores que imperan en la sociedad actual. Ese fracaso podría afectar su ego masculino en algunos casos, pero debe aprender a no juzgar su masculinidad mediante las normas de éxito que son corrientes en la sociedad. En algunos casos hasta podría ser necesario que se disculpe frente a su esposa y a sus hijos. Un hombre de carácter puede decir que siente haber cometido un error, porque no hay sustituto para esa manifestación directa de honradez. Si es necesario, el esposo podría decir: "Querida esposa, cometí un error. Anoche fui porfiado e irrazonable. Lo siento. ¿Me disculpas?"

propias responsabilidades? ¿He demostrado actitudes inadecuadas en el pasado? ¿Estoy comportándome en forma irrazonable?

Resulta difícil adaptarse a una solución con la cual uno no concuerda. A veces se requiere un poquito de paciencia a fin de reunir las fuerzas necesarias para no sentirse como aquel niñito que dijo: "Mi papá me ordenó que me sentara, pero yo estoy parado dentro de mí". Puesto que la fuerza es lo opuesto del amor, en una relación sustentadora no se deberá recurrir a la fuerza o a métodos autoritarios. Si no se obtiene la cooperación, el cónyuge

Liderazgo espiritual

Ya sea que lo comprenda o no, el esposo tiene una influencia más decisiva sobre la salud espiritual de su esposa que cualquier otra persona, ya que su ejemplo y su comportamiento la influencian positiva o negativamente. Un esposo no puede ocultar de su esposa su hipocresía. Si en la intimidad del hogar él la trata sin amor o injustamente, ninguna cosa que diga o haga en la iglesia puede compensar la influencia desmoralizadora que había ejercido en ella. El esposo que ama a su esposa y mantiene con ella una relación sustentadora se preocupará no solamente de su propia relación con Dios sino también de la espiritualidad de su esposa. No abandonará su responsabilidad repitiendo piadosamente: "Eso es algo que se encuentra entre ella y Dios. Yo no tengo nada que ver con eso".

Aunque todos nosotros finalmente

tendremos que comparecer delante de Dios solos y no podremos echar a nadie la culpa de nuestra falta de espiritualidad, el esposo debiera tomar la iniciativa para celebrar reuniones devocionales diarias con la familia. Un número excesivo de hombres ha delegado esa responsabilidad sagrada en sus esposas, por lo que ellas tienen que soportar una carga adicional en las actividades espirituales en el hogar.

Liderazgo protector

Una mujer también necesita la protección de su esposo. Necesita ser escudada de los ásperos elementos de la vida, y no solamente de los ataques físicos sino también de los traumas emocionales y espirituales. Si el dueño de la casa que alquilan le habla groseramente y le presenta una multitud de quejas, ella puede replicar tranquilamente: "Hablaré con mi esposo acerca de esto". Lo hace no por escapar de la situación problemática, sino como una respuesta natural dada por alguien que vive bajo la protección de su cónyuge varón.

Un esposo sustentador protegerá a su esposa de las conductas ofensivas que los hijos podrían tener contra ella. Si escucha la menor palabra que indique falta de respeto o de obediencia a lo que ella ha pedido, debiera ponerle remedio en forma inmediata y con firmeza. La madre no tendría que luchar para obtener el respeto de sus hijos. Los hijos debieran saber que detrás de las palabras de la madre se encuentra la autoridad del padre.

Un hijo, a quien llamaremos Juan, había discutido con su madre debido a algo en lo que no estaban de acuerdo, y cuando salió de la habitación le gritó: "¡Qué zonza eres!" El brazo del padre lo agarró instantáneamente por la camisa y lo levantó en el aire, mientras le decía: "¿Quién es zonza?"

Juan balbuceó: "¡Yo soy el zonzo, yo soy el zonzo!"

Su hermano mayor se echó a reír, y el padre a duras penas pudo suprimir una sonrisa. La autoacusación de Juan lo había salvado del castigo, pero nunca olvidó la lección de que si le faltaba el respeto a la madre enojaría a su padre.

La actitud protectora del esposo hacia su esposa también puede librarla de ataques espirituales. Cuando una mujer vive bajo la protección de su marido puede moverse con gran libertad en las cosas espirituales tanto como en otros asuntos. Es el propósito de Dios que el hombre se coloque entre su esposa y los ataques del mundo a fin de absorber gran parte de las presiones que podrían ejercerse sobre ella. Sin embargo, el esposo no necesita extremar esa protección. Algunas mujeres han estado tan protegidas por sus maridos, que no sólo se han sentido disminuidas en su personalidad, sino además, cuando el esposo ha muerto, se han encontrado completamente desvalidas. Los cónyuges necesitan protegerse mutuamente cuando surgen situaciones difíciles.

Una esposa sustentadora

El plan que Dios tiene para la felicidad matrimonial incluye a la esposa que debe mantener con su marido una relación sustentadora. En lugar de competir con el liderazgo de la familia o de convertirse en alguien sin personalidad y dominada completamente por su marido, la esposa sustentadora no sólo deja que su marido sea el jefe de la familia, sino que también promueve su liderazgo apoyando sus decisiones.

Aunque adapta su vida a la de su esposo, de todos modos procura ser capaz, inteligente, industriosa, organiza-

ACERCA DE LAS DECISIONES

La mayor parte de las parejas matrimoniales nunca han considerado en qué forma llegan a tomar decisiones, y sin embargo esto es muy importante para comprender la relación sustentadora.

El marido y la esposa deben contestar por separado las siguientes preguntas con el fin de ver si el principio de la mutua sustentación está funcionando en su matrimonio.

1. a. ¿Quién toma la mayor parte de las decisiones en su matrimonio? b. ¿Cómo cree usted que su cónyuge contestó esta pregunta?

2. a. ¿Ha establecido usted los principios necesarios para distinguir entre las decisiones importantes y las secundarias. Si lo ha hecho, ¿cuáles son esos principios? b. ¿Quién decidió esos principios?

3. ¿Qué procedimientos sigue usted en general cuando se presenta un problema pero es necesario adoptar una decisión?

4. ¿Cómo decide usted la forma de asignar las responsabilidades referentes a las tareas hogareñas?

5. a. ¿En qué sectores de la vida familiar tiene usted derecho de tomar decisiones sin consultar a su cónyuge? b. ¿Quién decidió ese reglamento, y cómo llegó a esa decisión?

6. ¿Encuentra usted que adopta las decisiones que desea adoptar, o bien con frecuencia toma solamente las que su cónyuge no desea tomar él mismo?

7. a. ¿Tiene usted la facultad de oponerse a las decisiones de su cónyuge? b. Si es así, ¿sobre qué base lo hace, y cómo llegó a esa decisión?

8. a. ¿Pueden sus hijos opinar acerca de los reglamentos que dirigen su vida en la familia? b. ¿Se les permite tomar alguna decisión sin consultarlo a usted? c. ¿Cómo cree usted que se sienten con ese arreglo? (Pregúnteselo. Puede ser que usted aprenda algunas cosas.)

da, eficiente, calurosa, tierna y amable, como la mujer ideal descrita en Proverbios 31. No es servil ni aburrida, sino que es vicepresidenta ejecutiva de la compañía de la familia. En el matrimonio se da una relación complementaria y de apoyo mutuo.

El significado de la sumisión

La *sumisión* no es una palabra negativa dentro del contexto del matrimonio. Cuando reconocemos el objetivo bíblico de una relación sustentadora, resulta claro que la sumisión no indica que la mujer sea inferior al hombre ni que deba estar enteramente dedicada a su servicio. Sería erróneo interpretar en ese sentido pasajes bíblicos como el de Efesios 5:22 y 1 S. Pedro 3:1. Las enseñanzas expresadas en esos pasajes no debieran hacer surgir temor en la mujer cristiana, porque su intención no es hacer de ellas mujeres relegadas e inferiores.

El concepto cristiano de la mutua sustentación significa que la sumisión en términos femeninos implica que una mujer adapta voluntariamente sus propios derechos a los de su esposo. El contenido de los pasajes mencionados no parece extraño cuando se lo considera dentro del contexto de la relación matrimonial sustentadora.

Lo que la sumisión no es

"¿Creen ustedes que me encuentro sometida a la voluntad de mi marido?" —pregunté en un seminario sobre preparación para el matrimonio al que asistían unas doscientas alumnas universitarias. Algunas de sus respuestas me hicieron reír. Una de ellas dijo que yo era demasiado alta como para someterme, y otra dijo que hablaba mucho. ¡Cuántas ideas equivocadas existen acerca del verdadero significado de la sumisión!

No hace muchos años tuve que enfrentarme con la cuestión de la sumisión a mi esposo, y no fue cosa de bromas. ¿Era posible que se sometiera una persona de voluntad fuerte y dominadora como yo? En la escuela secundaria había sido una líder en la lucha de las actividades escolares. ¿Seguiría siendo lo mismo en mi matrimonio? De alguna manera tenía que comprender correctamente lo que significaba ser una esposa sumisa en una relación matrimonial sustentadora.

Mi estudio demostró que una esposa que sufre vejámenes sin protestar, se encuentra tan lejos del ideal de Dios como el marido que es tiranizado por su mujer. Ninguno de estos extremos forma parte de un matrimonio bien establecido. La enseñanza cristiana sobre el matrimonio requiere que haya sumisión mutua, pero cuando se llega a un punto conflictivo se sugiere que la esposa se someta, se adapte o ceda. Sin embargo, esto no significa que la esposa ha de permanecer en silencio, dejando todo a la discreción de su marido. Si cree que posee una compren-

sión especial de cierto asunto, debe compartirlo con su esposo para que éste tome en cuenta las opiniones de ella al adoptar una decisión. Si ella no manifiesta sus sentimientos ni expresa su conocimiento sobre determinado asunto, está siendo menos que sumisa, porque no ha dado una respuesta voluntaria.

La sumisión no significa depender completamente de un hombre rehusando aceptar responsabilidades o negándose a tomar decisiones cuando ello es necesario. Una esposa tiene sus propias obligaciones y debiera sentirse en libertad para llevarlas a cabo. Cuando hay que tomar decisiones, ella participa sus planes a su marido y asume la responsabilidad de ese momento en adelante. En caso de que él no pueda ser consultado, ella debe proceder de acuerdo con su buen juicio.

La sumisión no es lo mismo que servilismo. Una esposa que se da cuenta que una decisión adoptada por su marido es incorrecta o perjudicial para el bienestar de la familia, debiera decírselo, con respeto pero con firmeza y con toda honradez. Si se presenta un problema y la esposa dice: "Haz lo que te parece que está bien, querido", y no ofrece ninguna opinión sobre el tema, aun cuando ve que su esposo va a tener dificultades, no es sumisa sino neciamente servil.

La obediencia ciega tampoco es la respuesta. La mujer que acepta una posición inferior a la de su marido perderá su respeto. Probablemente ya perdió el respeto hacia sí misma, o bien pronto lo perderá, porque está coartando su libertad personal. Un marido inteligente no desea tener una esposa que no se respete a sí misma.

Las manifestaciones de silencio, de completa dependencia, de servilismo y de obediencia ciega no son atributos que se encuentran en una esposa sustentadora. La esposa sustentadora tiene dignidad, opiniones y valor, pero también respeta a su marido y responde a su liderazgo sustentador.

Lo que la sumisión es

Una esposa sumisa adaptará voluntariamente sus propios derechos a los de su marido, ¿pero cómo funciona esta idea en una relación sustentadora? ¿Hasta dónde puede llegar una mujer en defensa de sus derechos? Es importante establecerlo.

Mi esposo espera que yo participe en las conversaciones referentes a cuestiones familiares importantes, y si yo no digo nada, él sabe que hay algo que no funciona bien. Si él toma una decisión definida concerniente a algún asunto, generalmente yo la acepto. Si por alguna razón pienso que él no ha considerado el problema desde todos los ángulos, lo insto a que hagamos un análisis más completo. Aquí puede ser que él cambie su punto de vista, pero si se niega rotundamente a considerar de nuevo la cuestión, yo hago lo mejor posible para aceptar su decisión. En otras ocasiones le digo: "Puede ser que tú pienses que tienes razón desde tu punto de vista, pero yo tengo razón desde el mío". En este caso puede ser que no concordemos en la decisión, pero me siento bien porque puedo expresar mis propias opiniones. Esta libertad de expresión forma parte de una relación sustentadora.

La adaptabilidad requerida para manifestar una sumisión constructiva es en realidad una *actitud* antes de convertirse en un *acto*. No es cuestión de obediencia mecánica sino de una actitud interior positiva. Puede ser que una esposa se incline ante todos los deseos de su marido, pero la sumisión significa adaptarse *voluntariamente* a los derechos del otro. De modo que si no se hace voluntariamente no es verdadera sumisión. Por debajo de su aparente docilidad y condescendencia, puede ser que ella esté llena de agravios peligrosos y resentimientos que en cualquier momento pueden estallar y producir un desastre en las relaciones mutuas. Tarde o temprano esa rebelión estallará en medio del matrimonio y habrá que hacerse cargo de ella.

Una actitud de sumisión no sofocará la personalidad de la mujer. En cambio proporcionará la mejor atmósfera para el desarrollo de la creatividad y la individualidad que permite expresarse en forma completa. Dios desea que expresemos plenamente los dones que nos ha dado, de inteligencia, captación y sentido común. En el matrimonio es necesario preservar la personalidad de ambos cónyuges.

El respeto es otro aspecto de la sumisión. El respeto del marido por la esposa y el de ésta por su marido se convierte en un ejemplo para los niños. Los padres y las madres se esfuerzan por enseñar a sus hijos a obedecer gustosamente, pero su enseñanza será eficaz únicamente cuando ellos señalen el camino y se conviertan en ejemplo para sus hijos.

A veces un cónyuge o el otro no tienen idea de cuántas veces a lo largo de los años han faltado el respeto al otro cónyuge. Puede ser que la madre diga: "Papá es el jefe de la familia", pero en su intimidad sabe que eso no es verdad, porque por regla general ella hace lo que le da la gana en caso de presentarse un conflicto de voluntades con su marido.

Los hijos no tardan en advertir cuando sus padres dejan de practicar lo que predican. Si ven que la mamá y el papá practican el respeto mutuo, ese ejemplo ejercerá una influencia definida sobre ellos. Todos los niños necesitan un héroe. La madre puede ayudarles a pensar que su padre tiene varios rasgos heroicos. La actitud que ella manifieste hacia su marido significará mucho a los ojos de sus hijos.

"El conocido criminalista Samuel Liebowitz ha dicho: 'Si las madres comprendieran que gran parte de su importancia yace en edificar la imagen del padre ante el hijo, experimentarían la profunda satisfacción de tener hijos responsables'. Tal vez, entonces, sugiere él, no tendrá necesidad de presentarse con su hijo en la corte de justicia de menores para pronunciar las palabras que se escuchan tan a menudo: '¿Qué puedo haber hecho, señor juez, que haya estado mal?' Basándose en su larga experiencia, Liebowitz ofrece un excelente principio para reducir la delincuencia juvenil: 'Deje que el padre se convierta nuevamente en el jefe de la familia' " (J. Allen Peterson, *The Marriage Affair* [La aventura matrimonial], p. 72).

Hay veces cuando una esposa desea que su marido asuma un papel más definido como jefe de la familia, pero tal vez inconscientemente no le permita desempeñar el papel. Puede ser que critique duramente sus ideas o se burle de su intento por ejercer el liderazgo. Una mujer puede destruir los esfuerzos de su marido al decirle cuando se equivoca: "Ya te lo había advertido yo".

Una esposa sustentadora estimulará hasta los intentos más débiles de su marido por ejercer el liderazgo, manifestándole aprecio. Cuando el marido hace una sugerencia, ella puede decidir aceptarla bondadosamente aun cuando no tenga ganas. Es probable que hubiera aceptado esa sugerencia si otra persona que no fuera su esposo la hubiera hecho. Si la atención y el aprecio de la esposa refuerzan los intentos del

marido por manifestar liderazgo, él estará dispuesto a seguir probando.

Situaciones difíciles

Un esposo que no es digno de respeto. Una de las primeras objeciones que la esposa presenta en relación con su fracaso a adaptarse al liderazgo de su marido es: "Mi esposo no es digno de respeto. Es malo, pendenciero y terco". Sin embargo, debemos establecer una diferencia entre la posición de una persona y su personalidad. Es posible respetar la posición de una persona mientras se reconocen deficiencias en su personalidad que necesitan corrección. Todos los líderes tienen deficiencias de una clase u otra, pero Dios obra mediante ellos. Dios no considerará responsable a una esposa por la vileza de su marido, ni por la actitud pendenciera o terquedad de él; pero la considerará responsable por la conducta que manifieste como *respuesta* a su marido, por la forma como ella elija reaccionar.

Un esposo con débil capacidad de liderazgo. ¿Cómo puede una esposa adaptarse a alguien que manifiesta debilidad de carácter, que ha fallado antes o que carece de habilidad de liderazgo? Esta es una de las pruebas más duras de la sumisión: hacerse a un lado y dejar que el marido fracase sin interferencia. Sin embargo, con frecuencia los hombres en esta condición comienzan a aceptar la responsabilidad cuando sus esposas dejan de hacerse cargo ellas mismas de la situación, y cuando se les permite experimentar todo el peso del liderazgo. En algunos casos lo único que la esposa necesita hacer es abandonar sus intentos por convertirse en jefa y dejar que su marido se haga cargo de la situación. En otras ocasiones necesita poner a prueba su capacidad para someterse. El objetivo final de la sumisión no es la actitud que pregunta: "¿Hasta dónde puedo ir en mi sumisión a este hombre?" En cambio, es decir con gozo: "¿Hasta dónde puedo ir en la adaptación de mis necesidades para satisfacer las suyas sin transgredir la Palabra de Dios?"

Cuando el esposo no es cristiano

En algunos casos la conciencia espiritual de la esposa es más profunda que la de su marido, y ella puede utilizar este hecho como una piadosa excusa para no adaptar sus derechos a los de su esposo. Se siente con el derecho a oponerse a los deseos de él en cuestiones de educación cristiana, asistencia a la iglesia, bautismo, estudio de la Biblia, disciplina de los hijos y muchos otros asuntos. La Biblia declara: "Asimismo vosotras, mujeres, estad sujetas a vuestros maridos; para que también los que no creen a la palabra, sean ganados sin palabra por la conducta de sus esposas" (1 S. Pedro 3:1).

Una actitud continua de respeto y buena disposición para adaptarse, aun cuando vaya contra la manera de pensar de la esposa, contribuirá a que Dios resuelva una situación difícil de la mejor manera posible. La actitud de adaptación de la esposa con frecuencia ablandará las actitudes contrarias del esposo hacia el cristianismo, porque él no podrá dejar de respetar la fe que la induce a dar tanto de sí misma para el matrimonio.

Los límites de la sumisión

La sumisión tiene sus límites y no significa que una mujer deba someter-

¿CUAL ES SU MANERA DE SENTIR?

El siguiente ejercicio ha sido creado para ayudarle a conocer sus propios sentimientos acerca de su relación matrimonial. Debe establecer una clara distinción entre su "manera de pensar" acerca de los roles y su "manera de sentir" en relación con los mismos, ya que esto último es una actividad emocional. Complete el ejercicio y luego comparta sus respuestas con su cónyuge. En los lugares donde se expresan sentimientos negativos tendrán que analizarlos para encontrar la manera de cambiar las cosas a fin de permitir que la relación matrimonial siga creciendo.

1. Cuando mi cónyuge me consulta acerca de asuntos familiares, siento...
2. Cuando mi cónyuge no me consulta acerca de cuestiones familiares, siento...
3. Cuando mi cónyuge tiene una actitud dominadora en cuestiones de familia, siento...
4. Cuando mi cónyuge no manifiesta interés en el liderazgo de la familia, siento...
5. Cuando trato a mi cónyuge de igual a igual, siento...
6. Cuando trato a mi cónyuge como si fuera inferior o menos importante que yo en nuestra relación matrimonial, siento...
7. Cuando mi cónyuge muestra respeto por mis puntos de vista, siento...
8. Cuando mi cónyuge deja de manifestar respeto por mis puntos de vista, siento...
9. Cuando mi cónyuge practica el principio de la sumisión mutua, siento...
10. Cuando mi cónyuge deja de practicar el principio de la sumisión mutua, siento...
11. Cuando yo practico el principio de la sumisión mutua, siento...
12. Cuando dejo de practicar el principio de la sumisión mutua, siento...
13. Cuando he dominado a mi cónyuge siento...
14. Cuando mi cónyuge no concuerda con mis puntos de vista, siento...

se servilmente a todos los deseos e ideas perversas de un hombre depravado. Dios ha dado a cada mujer una conciencia y una mente para su propio uso, y ella debe establecer el límite de lo que considera moralmente correcto de acuerdo con la Palabra de Dios. *Esta cuestión sutil y delicada no siempre será igual para cada mujer, aun en situaciones idénticas.*

La madre debe proteger a sus hijos de daños morales, físicos y espirituales. Si el padre diera a un hijo alcohol o alguna droga, si lo maltratara física o moralmente, la madre debiera intervenir. Sin embargo, aun en esas circunstancias ella debiera hacer todo lo posible para no destruir el respeto del hijo hacia el padre. Debiera explicarle al hijo que su padre no siempre obra correctamente y que por lo tanto deben ser pacientes con sus pecados, así como Jesús es paciente con los nuestros. Debe enseñarle mediante precepto y ejemplo a amar y a respetar a su padre a pesar de sus fallas.

Cuando la esposa es cristiana pero no su marido, él deseará que lo acompañe a lugares de entretenimiento a los que ella no desea ir. ¿Qué puede hacer en esos casos? Debiera establecer un límite de acuerdo con los principios de Gálatas 5:19-21. No tiene obligación de obedecerle en el caso en que él desee conducirla a prácticas incorrectas, pero en ese caso dejará toda condenación al Espíritu Santo. Cuando tenga que decir no, puede hacerlo con amor y respeto, y tratar de hacer compensación en alguna otra forma.

Si ella desea asistir a la iglesia pero él no se lo permite, de todos modos debiera ir. Pero debiera salir con la misma actitud con que sale cuando va de compras: debiera despedirse con un beso, pero sin la intención de hacerlo sentirse culpable por no ir con ella. Sin embargo, tampoco debiera ir a la iglesia varias veces por semana dejando solo a su marido.

Si él rehúsa hacerse cargo de los ejercicios espirituales en el culto de la familia, la esposa debiera hacerlo. Ella debiera invitarlo a estar presente diciéndole: "Querido, vamos a escuchar a los niños orar juntos", o bien: "¿Quisieras tú leerles una historia esta noche? ¡Tú sabes hacerlo tan bien!". Si él no quiere hacerlo, entonces ella debiera llevar a cabo esas actividades. Ella debiera pedir a uno de lo hijos que pida la bendición sobre los alimentos a la hora de comer. Si el padre trata de enseñar a los hijos que no hay Dios, entonces la madre, posteriormente, debiera darles las explicaciones correctas que muestran que el Creador en realidad existe, y explicarles que el padre dice esas cosas porque no conoce a Dios.

La mujer que tiene que hacer frente a estos problemas, debiera orar a Dios y estudiar la Biblia a fin de obtener fortaleza para hacer frente a las pruebas de cada día. Una relación matrimonial sustentadora, ya es difícil cuando ambos cónyuges trabajan por alcanzar objetivos comunes. Pero cuando el marido se opone a que su esposa sea cristiana, ella tiene aún más necesidad de esforzarse por mantener la armonía en el hogar, y debe hacerlo acercándose más a Dios y buscando su ayuda en oración. No debiera pretender que sus devociones constituyen una evidencia de su cristianismo. Más bien, debiera evidenciar ese hecho mediante su vida. Un tiempo pasado cada día en meditación y oración proveerá la sabiduría que necesita para saber cómo obtener el máximo provecho de las situaciones que la confrontan.

Los beneficios de una relación sustentadora

Cuando el esposo y la esposa se tratan siguiendo los principios de las relaciones sustentadoras, en el hogar se presentan menos discusiones, peleas y malos entendimientos, y toda la familia vive en paz. Desaparecen las luchas por el poder y se produce una unión e intimidad que no sería posible obtener por otros medios.

El esposo podrá manifestar mejor su virilidad y su confianza propia al practicar los rasgos prescritos por el liderazgo sustentador, mientras que la esposa notará que se produce un mejoramiento de sus aptitudes hacia sí misma, hacia su marido y hacia su hogar al responder y al adaptarse en forma sustentadora. Ambos cónyuges, al apoyarse mutuamente enriquecerán sus relaciones y harán que su matrimonio sea más feliz y satisfactorio.

Los hijos, observando el modelo de su familia, aprenderán a respetar en forma natural la organización del hogar, la escuela, la iglesia y la sociedad en general. También la sociedad se beneficiará. Nuestros hogares son la unidad básica de la sociedad, y únicamente cuando los hogares que la componen funcionan con éxito, ésta se verá libre de los graves males que la aquejan.

"La vida sexual matrimonial no es una actividad automática, como tampoco es únicamente biológica. Se trata de una aventura experimental, de exploración, en la que dos personas pueden embarcarse juntas durante un largo período de tiempo. En el ajuste sexual existen grados de realización lo mismo que en otros aspectos del matrimonio".

–W. Clark Ellzey.

Contenido del Capítulo

Capítulo 8

La Satisfacción Sexual del Cónyuge

"Nunca he tenido un orgasmo. Aunque eso no me preocupa, mi esposo se queja continuamente porque yo no lo experimento, razón por la cual nunca está satisfecho con las relaciones sexuales. ¿Puede ayudarme?"

"¿Cómo puedo convencer a mi esposa de que en las relaciones sexuales matrimoniales todo está permitido? Yo quisiera que hiciéramos algunas cosas, pero ella se niega diciendo que es pecado. ¿Qué pueden hacer los cónyuges cristianos sin sentirse culpables?"

"Yo no creo que las relaciones sexuales debieran constituir una parte demasiado importante en la vida, y no debieran tener máxima prioridad. Las relaciones sexuales son una piedra de tropiezo para más de un cónyuge religioso".

"¡Mi esposo piensa solamente en el sexo! No me molesta practicarlo de vez en cuando, pero me parece que él exagera las cosas. ¿Cuánto sexo es demasiado?"

La verdadera satisfacción sexual es el resultado de la armonía que reina en otros sectores del matrimonio. Tan sólo a medida que los miembros de la pareja conyugal aprendan el significado del

---

C. Orgasmo simultáneo
D. Estado post orgásmico
E. Las mujeres religiosas
  1. Tienen más satisfacción sexual
  2. Son más activas sexualmente
  3. Son más orgásmicas

IV. Problemas sexuales
A. Lo que estorba el orgasmo en la mujer
  1. La forma como siente acerca de sí misma
  2. Barreras: rencor, resentimiento, cansancio, temor
  3. Dónde encontrar ayuda
  4. Ejercicios musculares beneficiosos

B. La eyaculación prematura: cómo aprender a controlarla
  1. Conduzca a la esposa al orgasmo
  2. Disfrute de los juegos sexuales
  3. Penetración y salida
  4. Cómo controlar el "punto de no retorno"
  5. Prolongación de la relación sexual

C. Impotencia masculina

amor genuino, a medida que practiquen la aceptación mutua tal como son, a medida que progresen en el arte de apreciarse mutuamente, a medida que aprendan los principios de la comunicación eficaz, a medida que acepten las diferencias y preferencias individuales, a medida que se adapten a una relación sustentadora satisfactoria marcada por el respeto y la confianza, podrán esperar disfrutar de una experiencia sexual satisfactoria. Allan Fromme llama "conversación corporal" a las relaciones sexuales, queriendo decir con esto que tanto el cuerpo como la personalidad entran en contacto mutuo durante la unión íntima.

Requiere tiempo efectuar los ajustes sexuales después del matrimonio. Esto preocupa a muchas parejas conyugales, porque habían pensado que alcanzarían instantáneamente la armonía sexual. Las investigaciones han demostrado que la mayor parte de los maridos y esposas se casan teniendo muy poca información específica concerniente a la fisiología sexual o acerca de los factores emocionales pertenecientes al sexo opuesto. Se requiere tiempo, comprensión, paciencia, estudio, experimentación y un análisis franco antes que la pareja conyugal obtenga una relación sexual satisfactoria.

Frecuencia de las relaciones sexuales

Un problema común en el matrimonio surge cuando uno de los cónyuges desea tener relaciones sexuales con más frecuencia que el otro. Aunque los hombres se quejan con más frecuencia de esto, recientemente también las mujeres, especialmente las de más de cuarenta años, han comenzado a desear relaciones íntimas más frecuentes. Los datos estadísticos sobre la frecuencia de estas relaciones tienden a preocuparnos con los números, pero investigaciones llevadas a cabo por profesionales responsables indican que las relaciones sexuales practicadas tres veces por semana constituyen el promedio de la vida matrimonial.

Sin embargo, la frecuencia depende de una cantidad de factores, tales como la edad, la salud, las presiones sociales y el trabajo, la condición emocional, la habilidad para efectuar una comunicación sexual, y de muchas otras variables. Por eso "los promedios" tienden a ser engañosos. Cada pareja debe encontrar una frecuencia en la que se sientan cómodos para su deseo y su estilo de vida, sin preocuparse de los números. Aun así su nivel individual puede variar de tiempo en tiempo, dependiendo de las circunstancias.

Mientras el marido y la mujer experimentan variaciones del deseo sexual, no sólo dentro de lo individual, sino también de ocasión a ocasión, los hombres desean las relaciones sexuales más que las mujeres, y eso por una razón fisiológica. En la región de la próstata existe un pequeño saco que sirve como depósito de fluido seminal. Cuando este saco se llena, el hombre siente la necesidad de obtener alivio sexual debido a la presión que la vesícula seminal ejerce sobre centros nerviosos determinados. Cuando el depósito se vacía, se alivia la presión sexual.

El Dr. David Reuben escribe: "La mayor parte de los hombres funcionan en un ciclo de 48 horas; esto significa que necesitan tener relaciones sexuales con esa frecuencia para mantener un buen equilibrio". Otro investigador ha establecido que las vesículas seminales se llenan dentro del término de 42 a 68 horas, tras lo cual producen una tensión que necesita ser aliviada.

El deseo de relaciones íntimas más

INVENTARIO DE ACTITUDES SEXUALES

Aunque vivimos en una sociedad en la que abundan las manifestaciones de sexualidad, hay muchas parejas que saben muy poco acerca de los temas sexuales. A continuación aparece una serie de preguntas explícitas que tratan de problemas comunes que surgen en la vida íntima de los esposos. Sería posible eliminar una gran cantidad de resentimiento, frustración y temor, si estos problemas se resolvieran antes de convertirse en situaciones críticas que afectan las relaciones íntimas entre los cónyuges.

Conteste las preguntas que siguen y luego compare sus respuestas con las de su cónyuge, y haga los comentarios necesarios para que él o ella comprenda sus sentimientos y pensamientos:

1. ¿Cuán importante es para mí experimentar el orgasmo en todas las relaciones sexuales?
2. ¿Considero necesario que mi cónyuge también llegue al orgasmo?
3. ¿Qué hago para conseguir que mi cónyuge sienta el máximo de placer?
4. He hecho lo siguiente para excitar sexualmente a mi cónyuge...
5. Cuando no experimento el máximo de placer sexual, me siento...
6. Cuando experimento la culminación del placer íntimo, me siento...
7. La actividad sexual que más me excita es...
8. Cuando converso con mi cónyuge acerca de las cosas que me excitan sexualmente, me siento...
9. Cuando inicio la actividad sexual y mi cónyuge me rechaza, me siento...
10. El orgasmo es para mí la experiencia de...
11. Cuando mi cónyuge no responde durante la actividad sexual, me siento...
12. Cuando yo no logro responder durante la actividad sexual, me siento...
13. Cuando veo a mi cónyuge desnudo (o desnuda), me siento...
14. Cuando mi cónyuge me ve desnudo (o desnuda), me siento...
15. Cuando mi cónyuge me desviste como parte del juego sexual, me siento...
16. ¿Con cuánta frecuencia deseo tener relaciones íntimas?
17. Mi cónyuge tiene la siguiente opinión acerca de las relaciones íntimas...
18. Mi actitud actual acerca de las relaciones íntimas es...
19. En Hebreos 13:4 se dice: "Honroso sea en todos el matrimonio, y el lecho sin mancilla". ¿Qué significa esto para usted?
20. Lea 1 Corintios 7:3-5, y procure comprender su significado.
21. Tengo sin contestar las siguientes preguntas acerca de cuestiones sexuales...

frecuentes de los hombres contrasta con el de las mujeres. No sólo existen diferencias entre hombres y mujeres, sino también entre unas mujeres y otras. Aproximadamente del 20 al 25 por ciento de las mujeres adultas pueden considerarse "inhibidas", lo cual significa que manifiestan una actitud tibia o negativa hacia el sexo. Dos por ciento son desapasionadas, es decir, no les interesan las relaciones sexuales, y otro dos por ciento tiene una elevada motivación sexual. Por otra parte, de 20 a 25 por ciento de todas las mujeres manifiestan una actitud sexual positiva, es decir, desean tener relaciones sexuales, las buscan y con frecuencia las inician. El 40 a 50 por ciento restante tiene un interés sexual promedio.[1]

En las mujeres ocurren variaciones en el deseo sexual justamente antes y después de la menstruación, o bien alrededor del momento de la ovulación. Algunas veces el deseo sexual continúa durante toda la menstruación, y aparentemente existen mujeres que nunca se sienten voluptuosas excepto durante sus reglas. Tanto los hombres como las mujeres deben estar conscientes de estos cambios cíclicos en los intereses sexuales de la mujer.

Cuando las necesidades de un cónyuge son mayores que las del otro, es necesario llegar a un acuerdo a fin de mantener la felicidad matrimonial. Cuando las necesidades del marido son más intensas que las de la esposa, no debiera ser necesario para él exigir tener relaciones sexuales, sino que ella debiera hacer su parte para satisfacer las necesidades de su marido como una expresión de amor hacia él. Resulta más fácil vivir con una persona cuando está sexualmente satisfecha que cuando no lo está.

Hablemos del tema

Cuando surge un problema en la vida íntima de la pareja conyugal, tanto el marido como la mujer tratan de eliminar el tema de su conversación, con la esperanza de que si no lo mencionan desaparecerá el problema. Por ejemplo, algunas parejas *nunca* hablan de su vida sexual. En una investigación que llevé a cabo personalmente, tan sólo 43 por ciento de los hombres y 38 por ciento de las mujeres podían hablar libremente de las intimidades sexuales con sus cónyuges. Diez por ciento de los varones y 25 por ciento de las mujeres no hablaban nunca o lo hacían tan sólo ocasionalmente. La razón más común anotada por las mujeres para explicar por qué evitaban hablar de ese tema era que se sentían avergonzadas.

Una investigación publicada por la revista *Redbook* en 1975, revelaba una relación entre la buena comunicación sexual y la vida íntima satisfactoria. De cada 100 mujeres participantes en el estudio que declararon que siempre hablaban de la intimidad sexual con sus cónyuges, 88 calificaron su vida íntima como muy buena o buena. De las que nunca hablaban de las cues-

[1]Dobson, James. *What Wives Wish Their Husbands Knew About Women* [Lo que las esposas desean que sus maridos sepan acerca de las mujeres], p. 118. Wheaton, Illinois: Tyndakem 1975.

tiones sexuales con sus cónyuges, 70 de cada 100 informaron vidas sexuales regulares o insatisfactorias. Parece que los que necesitan hablar más de sus problemas sexuales, dejan de hacerlo, lo cual produce frustración en la vida íntima matrimonial.

Las mujeres con fuertes inclinaciones religiosas, según el estudio realizado por la misma revista, estaban más dispuestas a comentar sus sentimientos sobre la sexualidad que las esposas no religiosas. El estudio de dicha revista llegó a la conclusión de que los datos reunidos proporcionan fuerte evidencia de que la comunicación entre las mujeres religiosas y sus maridos se encuentra en cada grupo de edad sustancialmente por encima del promedio, mientras que la comunicación entre mujeres no religiosas y sus maridos se encuentra por debajo del nivel promedio.[2]

Puesto que las mujeres tienden a sentirse más inhibidas sexualmente que los hombres y encuentran difícil hablar acerca de temas sexuales sin avergonzarse, cuando sea posible, conviene que los maridos tomen la iniciativa y ayuden a sus esposas a hablar acerca de sus sentimientos. Ambos cónyuges necesitan sentirse libres para expresar honrada y francamente lo que les agrada y lo que les desagrada, lo que desean y lo que no desean hacer, lo que los estimula y lo que los inhibe.

Si una pareja no ha dado expresión antes a sus pensamientos y sentimientos sexuales, debiera iniciar el tema con prudencia, y ninguno debiera desanimarse si el otro reacciona en forma negativa. Requiere tiempo poder analizar francamente los sentimientos íntimos. Sin embargo, puesto que las investigaciones colectivas indican que cuanto más franca es la comunicación acerca de las preferencias sexuales, tanto más feliz será la vida íntima, vale la pena probarlo.

El arte de los juegos sexuales

Los juegos sexuales son una de las expresiones más placenteras de las relaciones íntimas. Como no siguen ningún plan definido, los cónyuges debieran saber cuándo están listos para el acto sexual. Las mujeres en general alcanzan un nivel adecuado de respuesta sexual al cabo de quince o veinte minutos de juegos íntimos. En algunos casos las esposas experimentadas pueden requerir menos tiempo de preparación y una recién casada puede requerir hasta treinta minutos o aún más. Una mujer con problemas sexuales, necesitará 45 minutos o más. Una esposa necesita comprender que no es anormal o frígida porque no puede responder sexualmente en forma rápida a las estimulaciones de su marido. Debido a que la mujer reacciona en forma más lenta que el hombre, necesita ser estimulada con paciencia y con cariño, pero es tan capaz como el hombre de disfrutar de la experiencia sexual.

Una queja que se oye con frecuencia entre las mujeres es que sus maridos no dedican tiempo suficiente a prepararlas para el acto íntimo. Algunas hasta llegan a decir que no experimentan ningún grado de preparación. Las mujeres que se ven forzadas a participar en el acto sexual sin haber tenido la preparación necesaria, sienten que sus cuerpos han sido explotados para gratificar las necesidades de sus esposos, sin tomar en cuenta sus propias necesidades. Tales mujeres insisten con frecuencia que se sienten como prostitutas. Un poco de ternura y romanticismo manifestados durante el día y algo

[2] Levin, Robert J. y Amy Levin, "Sexual Pleasure: The Surprising Preferences of 100.000 Women" [El placer sexual: sorprendentes preferencias de 100.000 mujeres]. *Redbook*, septiembre de 1975, p. 54.

más de dedicación en la noche, establecerían una gran diferencia en la forma como se sienten las esposas durante las relaciones íntimas.

La esposa de un marido que padece de eyaculación precoz y que no dedica tiempo suficiente a la preparación previa al acto, lo tratará de "ignorante" o "torpe" en el amor. A veces, puede ocurrir que el mismo esposo se considere un amante competente e informe que su esposa experimenta un grado de placer sexual más elevado que el que ella admite. Sin embargo, el marido puede alterar la verdad para salvar su reputación.

También el hombre se beneficia cuando prolonga los juegos sexuales previos al acto íntimo. No sólo experimentará mayor gozo debido a la respuesta favorable de su esposa, sino que también sentirá más placer él mismo. Los juegos sexuales y caricias íntimas debieran ser de tal naturaleza que ambos disfruten de ellos. Generalmente el esposo está más dispuesto a introducir mayor variedad en la práctica de los juegos íntimos, pero no debiera forzar a su esposa a practicarlos si ésta se resiste. La clave aquí consiste en que ambos deben disfrutar de la misma experiencia, y una pareja matrimonial puede experimentar con una gran variedad de situaciones placenteras si lo decide de común acuerdo.

El Dr. Herbert Miles, conocida autoridad en cuestiones sexuales, da el siguiente sólido consejo a las parejas que están en dudas: "En las relaciones interpersonales en la comunidad y la sociedad, la modestia es reina entre otras virtudes, pero en la intimidad del lecho matrimonial, detrás de puertas cerradas, y ante la presencia del amor matrimonial puro, no existe tal cosa como la modestia. Una pareja conyugal debiera sentirse libre de hacer lo que agrade a ambos y los conduzca a una plena expresión de su amor mutuo a través de la experiencia sexual.

"En este punto conviene decir una palabra de advertencia. *Todas las experiencias sexuales debieran ser las que tanto el marido como la esposa desean. Ni el uno ni el otro, en momento alguno, debieran forzarse a hacer nada que no quieran llevar a cabo. El amor no hace violencia*".[3]

Respuesta sexual femenina

La atención durante los juegos sexuales anteriores a las relaciones íntimas, muy a menudo se centra en los pechos y en la vagina, porque eso le produce mucho placer. Sin embargo, aunque ambas zonas mencionadas son erógenas, o sea, generan placer, el clítoris proporciona a la mujer su mayor placer sexual. Se trata de un pequeño órgano alargado, de forma casi cilíndrica, situado en la parte superior de la vulva, a unos dos centímetros y medio de la entrada de la vagina. Está formado por cuerpos cavernosos que se llenan de sangre cuando el clítoris es estimulado produciéndose una erección del mismo con manifestación de placer.

Según las investigaciones efectuadas por los sexólogos Masters y Johnson, el clítoris no tiene otra función aparte de la de producir placer sexual. Es la zona erógena más sensible de la mujer. Sin embargo, no es necesario para el acto carnal, ya que los órganos esenciales que intervienen en éste son el pene y la vagina. De manera que Dios colocó en la anatomía femenina algo adicional que le permitiera experimentar el mismo orden de placer sexual que su marido.

---

[3]Miles, Herbert J., *Sexual Happiness in Marriage* [Felicidad sexual en el matrimonio] (Grand Rapids: Zondervan, 1967), p. 78.

En muchos casos, durante el acto carnal el pene no toca el clítoris. Debido a esto, numerosos sexólogos recomiendan que el esposo acaricie delicadamente la zona del clítoris de su esposa hasta que ella indique que se encuentra preparada para el acto íntimo. Conviene decir aquí que el clítoris no debiera tocarse directamente, debido a su gran sensibilidad, porque se podría producir una sensación dolorosa y desagradable en lugar de placentera. Por eso es mejor estimular las zonas adyacentes a este pequeño órgano.

Respuesta sexual masculina

La excitación sexual del marido produce una erección del pene, pocos segundos después de haber tenido un estímulo erótico, ya sea producido por su mujer o por una fantasía sexual.

El pene está formado por tres partes: el glande, el cuerpo y la base, y está cubierto por piel elástica. El glande, ubicado en el extremo del pene, es la parte más sensible del genital masculino. El marido disfruta cuando su esposa le acaricia la zona genital. Nadie debiera sentir vergüenza en la intimidad conyugal.

Entrada por invitación

En la parte final del acto carnal, el marido introduce el pene en la vagina de la esposa con el fin de producir un orgasmo en ambos. Aun cuando la esposa haya dado muestras físicas de estar preparada para la penetración, como la presencia de lubricación vaginal, el marido debiera esperar hasta que la respuesta emocional de ella sea igual a su respuesta física. Cuando se produce la unión física en estas circunstancias, se la podría denominar "entrada por invitación" y constituye el momento más adecuado para efectuar la penetración. Si alguien quisiera entrar a su casa sin ser invitado, usted pensaría que ha invadido su propiedad privada, y por eso no lo consideraría un huésped agradable. Algo parecido sucede en la mujer durante el coito. Cuando ella está preparada, puede pedirle a su marido que efectúe la penetración.

En este punto no es indispensable que se produzca el orgasmo inmediatamente, sino que los cónyuges pueden disfrutar lo más posible de los movimientos sexuales que puedan llevar a cabo. En ese momento deben preocuparse especialmente de los sentimientos agradables que los embargan y de proporcionarse mutua satisfacción. Algunas veces el juego amoroso será apasionado, en cambio en otras ocasiones adoptará la forma de entretenimiento. También hay ocasiones cuando el acto carnal provee mayormente la ocasión de experimentar una descarga sexual y no tanto de proporcionarse placer mutuo.

El orgasmo

En el varón, el orgasmo ocurre en dos fases. Una vez que los cuerpos cavernosos del pene se han llenado completamente de sangre, se contrae el músculo de la base de este órgano, lo que hace salir al exterior una pequeña cantidad de líquido seminal. El semen es principalmente proteína, una sustancia parecida a la clara del huevo, y no es sucio ni antihigiénico aunque tiene un olor característico. Una vez que las contracciones del músculo mencionado inician la fase eyaculatoria, ésta no se puede detener voluntariamente hasta que ha salido todo el líquido seminal. Aunque la mujer puede ser fácilmente distraída en medio de un orgasmo, en el hombre éste continúa hasta completarse.

En la mujer el orgasmo es mucho

más complicado. Además, se ha producido confusión debido a una teoría que en el pasado trató de explicarlo, aunque ahora ya está en desuso. Se trata de la teoría del orgasmo vaginal contra el orgasmo clitoridiano. Según esta teoría, el orgasmo vaginal indicaba madurez emocional y se producía como resultado del movimiento del pene en la vagina, pero sin estimulación del clítoris. En cambio el orgasmo clitoridiano se producía supuestamente debido a la estimulación manual del clítoris. Según esta teoría ya pasada de moda, las mujeres que experimentaban el orgasmo clitoridiano eran inmaduras y tenían algún problema psicológico.

Ninguno de los estudios sexológicos efectuados en la actualidad ha prestado apoyo a la teoría mencionada, que supone que el orgasmo clitoridiano es inferior al orgasmo vaginal. En cambio, actualmente se ha documentado perfectamente que un orgasmo es un orgasmo. No tiene ninguna importancia si ha sido producido por estimulación del clítoris o como respuesta a la estimulación vaginal, puesto que el cerebro y los órganos sexuales trabajan

juntos para producirlo. Sin embargo, el Dr. Herbert Miles ha informado que solamente 40 por ciento de las mujeres que han participado en experimentos efectuados por él, han experimentado un orgasmo vaginal sin estimulación del clítoris, y el conocido estudio sobre sexología denominado *The Hite Report* [Informe Hite] encontró que solamente 30 por ciento de las 300 mil mujeres estudiadas podía experimentar el orgasmo en forma regular sin estimulación del clítoris. Esto significa que para aproximadamente 60 a 70 por ciento de la población femenina, además de la acción del pene, se necesita la estimulación del clítoris para que se produzca el orgasmo.

La estimulación del clítoris durante el acto sexual no debe considerarse como algo inconveniente o vergonzoso, porque el propósito de ese órgano es precisamente contribuir notablemente a la expresión del placer sexual. Su estimulación constituye una parte aceptable del juego amoroso entre el marido y la esposa, y para muchas mujeres es el único camino que lleva a la satisfacción sexual.

El orgasmo múltiple

Nuevas investigaciones relacionadas con la sexualidad femenina han demostrado que algunas mujeres pueden experimentar varios orgasmos durante un período breve (véase el diagrama en la página 156). A algunos hombres les cuesta comprender esto, porque en el caso del varón la erección se pierde una vez alcanzado el orgasmo, y no se vuelve a tener otra erección sino hasta dentro de una hora o más. Debido a la facultad de la mujer de experimentar varios orgasmos en sucesión, algunos maridos considerados y amantes, después de haber experimentado la eyaculación, continúan acariciando la zona del clítoris para que la esposa experimente nuevos orgasmos y con eso, nuevas oleadas de placer. Pero no debiera esperarse que la esposa tenga orgasmos múltiples en todos los actos sexuales. La mayor parte de las mujeres prefieren esa experiencia en las ocasiones especiales en que las circunstancias, el estado de ánimo y los demás factores se combinan para hacérsela desear. El orgasmo simple sigue siendo la respuesta más frecuente frente al acto sexual, y según el informe Hite, las mujeres de ese estudio dijeron que por regla general deseaban tener un solo orgasmo.

El orgasmo simultáneo

En la relación sexual matrimonial, ambos cónyuges deben experimentar el orgasmo, pero no es necesario que éste sea simultáneo. Lo importante es que ambos experimenten placer y que su amor se renueve. Un procedimiento que resulta conveniente para la mayor parte de las parejas es que primero la esposa experimente el orgasmo, e inmediatamente después el marido. Después de eso, si lo desean ambos pueden continuar acariciándose para proporcionarse nuevas posibilidades de placer.

Sensaciones post orgásmicas

Después de la satisfacción sexual, la pareja conyugal entra en una fase de calma en la que las funciones del organismo retornan a los niveles normales. En este punto se manifiesta una de las diferencias principales en la respuesta sexual del hombre y de la mujer. El organismo masculino retorna rápidamente al estado de normalidad, y si el hombre sigue sus inclinaciones naturales, probablemente se acomodará en la cama y se quedará dormido. En cam-

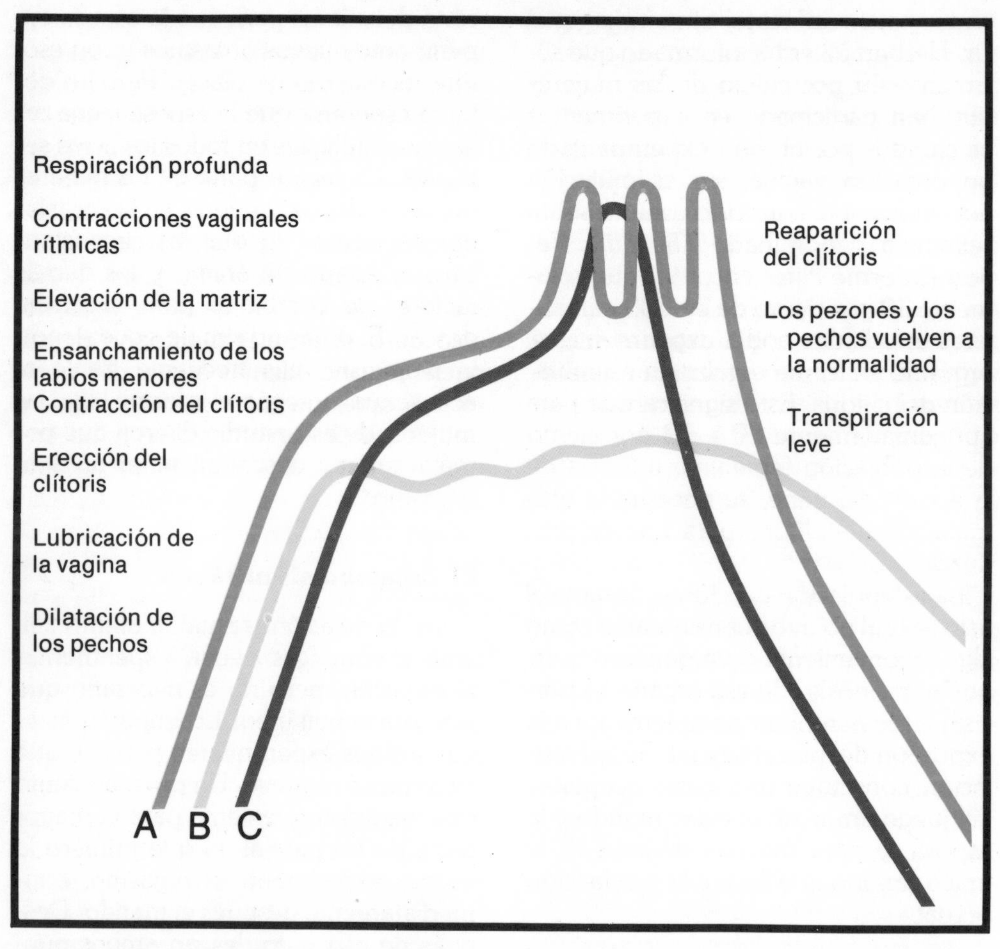

Tres respuestas orgásmicas de la mujer: (A) Orgasmo múltiple. (B) Ausencia de orgasmo. (C) Orgasmo simple.

bio el organismo femenino demora de diez a quince minutos en volver al estado de normalidad. Debido a esto, la mujer necesita que su marido continúe abrazándola y acariciándola. En el caso de la mujer, el orgasmo no marca el final de la relación sexual, sino tan sólo la entrada en la fase de las sensaciones post orgásmicas.

En investigaciones que yo misma he realizado acerca de esta etapa de la relación íntima, he obtenido las siguientes respuestas de las esposas: "Quisiera que mi marido no se quedara dormido tan rápidamente después de las relaciones sexuales". "Quisiera que me siguiera abrazando y besando después de tener relaciones". "Me gustaría que continuara siendo tan cariñoso después de haber tenido el orgasmo como lo había sido antes". "Me agrada sentirlo cerca de mí durante toda la noche después de tener relaciones".

Los investigadores sexuales Masters y Johnson, en sus experimentos relacionados con el sueño después del acto sexual, notaron que en la primera hora después de quedarse dormidas, las esposas por lo general se movían acercándose a sus maridos. Cuando se quitaba al marido de la cama sin que la esposa dormida lo notara, ésta continuaba aproximándose al lugar donde había estado el marido y en la mitad de los casos terminaba quedándose en el lugar que éste había ocupado. Sin embargo, cuando se quitaba a la esposa de la cama, en todos los casos el marido permanecía en su lugar y se dormía sin tratar de acercarse a su esposa. Según esto, pareciera que después del orgasmo la mujer experimenta una necesidad subconsciente de mantenerse en contacto con su marido.

Factores que dificultan el orgasmo en la mujer

Hasta hace algunos años, la mujer que no obtenía satisfacción de las relaciones íntimas, quedaba librada a su propia frustración sexual. Pero eso no ocurre en la actualidad porque las investigaciones sexológicas modernas han demostrado que toda mujer casada es capaz de experimentar satisfacción sexual.

La respuesta orgásmica de la mujer se encuentra estrechamente relacionada con sus sentimientos acerca de ella misma. El resentimiento, el rencor, la falta de información adecuada, y el cansancio erigen barreras sexuales que hacen difícil, sino imposible, que la mujer responda adecuadamente a la aproximación íntima de su marido. Y puesto que el órgano sexual más importante es el cerebro, a menos que éste dé su conformidad, ella no podrá sentir satisfacción sexual.

La esposa que sea víctima de estas actitudes debe hacer todo lo posible para desembarazarse de ellas. Puede conseguirlo consultando con su médico o leyendo libros adecuados que ofrezcan información sexual digna de confianza.

A continuación describiremos un método que permite aumentar el placer sexual en la mujer. Se trata del fortalecimiento del músculo pubiococcígeo. El Dr. Arnold H. Kegel, renombrado ginecólogo, en 1940 descubrió sin quererlo que un ejercicio que tenía el propósito de fortalecer un músculo debilitado de la vejiga, también aumentaba la satisfacción sexual en la mujer. El ejercicio recetado por el Dr. Kegel no sólo curó el problema urinario de su paciente, sino además ésta experimentó un orgasmo por primera vez en quince años de matrimonio. En la actualidad hay numerosos informes que confirman el descubrimiento del Dr. Kegel. El ejercicio de Kegel ha sido adoptado por muchos médicos para mejorar la respuesta sexual de sus pacientes, porque se calcula que dos de cada tres mujeres tienen el músculo pubiococcígeo debilitado hasta un punto en que puede interferir el funcionamiento sexual satisfactorio.

El músculo pubiococcígeo está ubicado entre las piernas, de adelante hacia atrás. Sostiene el cuello de la vejiga, la parte inferior del recto y la parte inferior de la vagina. Cuando este músculo se debilita, tiende a aflojarse, lo que en-

torpece el funcionamiento sexual.

Los ejercicios del Dr. Kegel para fortalecer el músculo pubiococcígeo consisten de una serie de contracciones de ese músculo efectuadas primero en el momento cuando se vacía la vejiga. Si se puede detener el flujo de orina, eso significa que el músculo se ha contraído. Una vez que se aprende a controlar el músculo, este ejercicio se puede practicar en cualquier momento. Se debiera empezar con cinco a diez contracciones seis veces al día durante la primera semana. Después de eso, se debe aumentar poco a poco las contracciones en cada ejercicio hasta alcanzar cincuenta al cabo de seis semanas. La mayor parte de las mujeres que practican este ejercicio notan una diferencia en su actuación durante las relaciones íntimas al cabo de tres semanas de haber practicado el ejercicio. Después de haber practicado este ejercicio durante seis a ocho semanas, bastará hacerlo durante algunas veces por día para mantener el tono muscular.

Eyaculación prematura

Cierta vez conversaba con una joven esposa que había estado casada menos de un año, acerca de sus problemas sexuales. Le pregunté si su esposo tenía eyaculación prematura; me contestó que no pensaba que eso sucediera. Pero luego me hizo esta pregunta: "¿Qué quiere decir eyaculación prematura?" Le expliqué que esta expresión se refería al caso de un hombre que no puede controlar la eyaculación o salida del líquido seminal durante el acto sexual, durante un tiempo suficiente para permitir que su esposa quede satisfecha. Porque sabido es que después de la eyaculación, el pene se pone fláccido, por lo que no se puede continuar el acto sexual. La eyaculación prematura se produce generalmente a los dos minutos, o aun antes, después de efectuada la penetración. Una vez que ella comprendió el significado de la expresión, me dijo que probablemente su esposo tenía ese problema.

La corrección de esta dificultad requiere la colaboración de la esposa. El marido necesita admitir que existe el problema, y la esposa debe manifestar paciencia y comprensión.

Su corrección requiere tiempo. En la mayor parte de los casos se puede resolver en forma eficaz y permanente, pero el esposo tendrá que aprender nuevas técnicas, lo que necesita tiempo.

Existen dos métodos principales de tratamiento para la eyaculación prematura: (1) la "técnica de la retención" y (2) el procedimiento de "penetración y parada". A continuación explicaremos este último método. Comprende varios pasos.

1 *Consiga que la esposa experimente un orgasmo.* Puesto que el marido afectado de eyaculación prematura no puede concentrarse en la solución de su problema mientras procura producir un orgasmo en su esposa, debiera hacer que ella experimente en primer lugar la culminación del placer, para ocuparse él a continuación de sus propias sensaciones. El marido puede ayudar a su esposa a alcanzar el orgasmo mediante estimulación manual o en alguna otra forma con la que ambos estén de acuerdo.

2 *Manipulación sexual prudente.* Reconociendo que la manipulación del

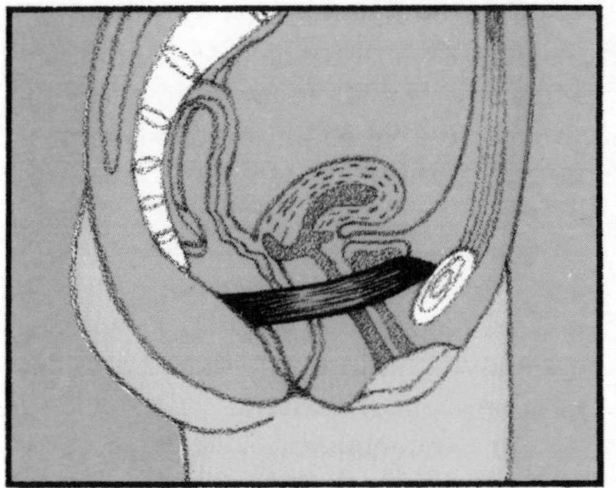
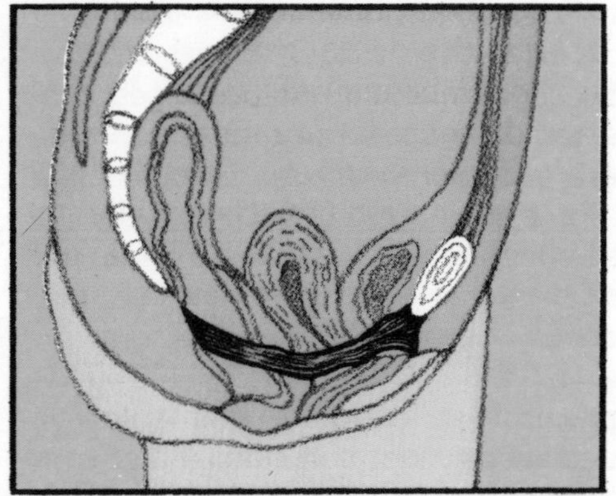

(Izquierda) Vista lateral que muestra el músculo pubiococcígeo normal. (Derecha) Vista lateral que muestra el músculo pubiococcígeo débil.

órgano genital de su marido aumenta su excitación sexual, la esposa suele evitar tocarlo. En su esfuerzo por disminuir la sensación sexual excesiva, proceden directamente a tener la relación íntima. Sin embargo, cuando el órgano penetra en la vagina tibia y suave sin que haya tenido una estimulación previa, la eyaculación se producirá inevitablemente en poco tiempo debido a la fuerte impresión ejercida en el pene. Debido a esto, es mejor que la esposa acaricie suavemente el órgano de su marido antes de que éste efectúe la penetración.

3 *Entrada y salida.* En esta etapa el marido introduce lentamente el pene en la vagina de su esposa, pero detiene la entrada o retira el órgano en el momento en que siente que se va a producir la eyaculación. Sin embargo, la fricción que se produce al retirar el miembro puede producir la eyaculación, de modo que es preferible dejarlo en la vagina al suspender la entrada cuando se presiente la proximidad de la eyaculación. La suspensión del movimiento de entrada no hará que se pierda la erección, sino únicamente controlará el deseo de eyacular. Cuando el marido lo estime conveniente, podrá continuar la penetración. Si en ese punto nuevamente se presenta el deseo de eyacular, una vez más deberá detener inmediatamente el movimiento. El objetivo que se persigue durante esta fase consiste en hacer que el pene penetre en la vagina hasta que esté a punto de eyacular, para luego proseguir por etapas hasta que se produzca la penetración completa.

4 *Controlando "el punto de no retorno".* Todo marido en la situación de coito llega tarde o temprano al "punto de no retorno", después del cual se produce la eyaculación. No hay forma de evitarlo. Durante esta parte del tratamiento, el marido que padece de eyaculación precoz debiera aproximarse al punto de no retorno, pero sin perder el control, lo cual conseguirá suspendiendo el movimiento de entrada. Después de haber diferido la eyaculación, debiera descansar entre quince segundos y dos minutos o más, dependiendo de la gravedad de su problema. Es importante que lo haga repetidamente hasta que pueda reconocer la sensación que precede a la eyaculación. Durante el tiempo de suspensión, el marido no hace ningún movimiento ni tampoco la esposa, para evitar la eyaculación.

5 *Extensión del acto sexual.* Una vez que el marido aprende a reconocer la sensación que ocurre justamente antes del punto de no retorno, es decir de la eyaculación, puede iniciar movimientos de penetración *suaves*. El objetivo es tolerar cada vez una cantidad mayor de sensaciones en el órgano. Al comienzo el marido encontrará más o menos difícil controlar sus movimientos debido a que el grado de excitación lo impulsa a penetrar cada vez más profundamente. Conviene que concentre los movimientos a la primera porción de la vagina donde existe mayor posibilidad de sensación para la esposa. En esa forma podrá disminuir la intensidad de la excitación, lo que le permitirá ejercer mayor control sobre la eyaculación.

6 *Control permanente sobre la eyaculación.* Una vez que el marido ha aprendido a reconocer las sensaciones que preceden a la eyaculación y puede tolerar movimientos suaves de penetración alternados con períodos de descanso, ha efectuado un progreso considerable hacia la solución de su problema. Cuando haya conseguido controlar la eyaculación durante quince segundos, debiera proceder a controlarla durante cuatro períodos seguidos de quince segundos cada uno. Si puede aprender a controlarla durante un minuto, también podrá hacerlo durante dos. Y si puede hacerlo durante dos minutos, también podrá durante tres. Pronto podrá efectuar movimientos suaves hasta aproximarse al punto de no retorno, detenerse y perder la urgencia de eyaculación. Al cabo de un período extenso de práctica, podrá prolongar las relaciones sexuales durante el tiempo que él y su esposa deseen. El marido obtiene un control completo sobre la eyaculación cuando puede elegir el momento cuando debe ocurrir el orgasmo.

Este método de entrenamiento puede aumentar el placer en cualquier pareja conyugal. El esposo puede aumentar su capacidad de postergar el momento de la eyaculación para prolongar los placeres del acto sexual, y la esposa puede comenzar a experimentar un grado de excitación sexual desconocido para ella hasta entonces. Si en el pasado no ha tenido orgasmos, ahora puede experimentarlos. Y si ya los ha tenido, en adelante podrá tener orgasmos múltiples.

Impotencia masculina

Las autoridades en sexología calculan que la impotencia es un mal que afecta al 10 por ciento de los hombres. Es producida por diversos factores. Por actitudes emocionales, como el enojo, el temor, el resentimiento y la culpa. Por problemas del yo, como temor al rechazo, que pueden ser suficientemente graves para impedir el funcionamiento sexual normal. En algunos casos pueden contribuir a la impotencia algunos factores que generan tensiones, como la obesidad, una aptitud física pobre, hábito de fumar y de beber y estados depresivos. Una esposa pasiva, que no hace nada por estimular a su marido, puede llevar a la impotencia.

Los métodos para curar la impotencia no son tan definidos como el procedimiento utilizado en el caso de la mujer con músculo pubiococcígeo débil, pero el hombre que hace frente a su problema en forma honrada y franca puede conseguir una recuperación completa. La presencia de emociones como el enojo, el temor, el resentimiento y la culpa pueden disiparse pidiendo a Dios ayuda para librarse de ellos. Los problemas más difíciles de resolver podrían ser los relacionados con el yo que amenazan la masculinidad. En este caso sería aconsejable que obtuviera ayuda profesional. Un programa de mejoramiento del estado físico y de la salud puede ayudar a resolver las tensiones.

Otra parte difícil de solucionar pueden ser las actitudes mentales hacia el problema. Cuanto más piensa un hombre que está acabado sexualmente,

ALGUNAS IDEAS PARA ELLA

A continuación aparecen algunas ideas creadoras para añadir sabor a la vida íntima. Ponga a prueba varias de ellas, y añada algunas de su propia cosecha.

1. Adquiera y use un nuevo negligé en lugar de ponerse la misma prenda vieja y desteñida que ha usado durante años. Con el tiempo forme una colección de prendas de dormir de diversos colores, largos y estilos.
2. Masajee la espalda de su cónyuge y termine con besos en el cuello.
3. Permita que su cónyuge la desvista si desea hacerlo.
4. Ponga en la lámpara del dormitorio un foco o bombilla de color de poca luminosidad.

A continuación añada algunas ideas propias:

1. ____

2. ____

3. ____

Propóngase que esta semana tendrá una actitud amante hacia su cónyuge y buscará la ocasión de tener relaciones íntimas con él. Luego, cuando su estado de ánimo sea adecuado y usted esté preparada, tome la iniciativa por lo menos una vez en lugar de esperar que lo haga su marido. Anote a continuación una cosa nueva que usted hará en el sector de las relaciones íntimas durante el mes que viene.

La cosa nueva que haré es: ________________________

Aprenda de memoria uno de los siguientes pasajes bíblicos: 1 Corintios 7:4; Proverbios 5:18-19; Cantares 5:6. Mi versículo para esta semana es:

____

tanto más real se torna esta posibilidad. Cuando el hombre experimenta las primeras manifestaciones de impotencia, debiera someterse de inmediato a un examen físico. Si no existe enfermedad física, debiera repasar su estilo de vida para evitar los factores que generan impotencia, como el uso de alcohol, el cansancio y las preocupaciones excesivas. También puede ayudar la adopción de una actitud positiva hacia su capacidad de satisfacer a su esposa. También la esposa puede ayudar a su marido durante estos momentos difíciles adoptando ella misma una actitud sexual agresiva, es decir, debe tomar la iniciativa en muchos casos y hacer todo lo posible para estimular sexualmente a su esposo.

Lo que las mujeres desean

Una esposa responde a la iniciativa sexual de su marido en proporción directa a la habilidad que éste tiene para satisfacer las necesidades emocionales de ella. Al no lograr constituir una atmósfera afectiva dentro de la cual la esposa pueda responder, el marido suele privarse del placer sexual que es importante para su felicidad. Tal vez se pregunte cómo es que ella puede decir que todavía lo ama y al mismo tiempo negarle lo que él desea y necesita. Pero cuando surgen dificultades en el sector de las relaciones sexuales, el marido hará bien en considerar su actuación en relación con su esposa, porque no es tanto que haya mujeres sexualmente tibias o frígidas, como que existen esposos que no logran satisfacer las necesidades afectivas de ellas.

El acto sexual es una experiencia profundamente emocional en la mujer. Ella se siente estimulada por la cantidad de amor romántico que su esposo pueda demostrarle durante el día, y considera cada encuentro sexual como un momento de profundo amor y de gran significación para su vida. Si el marido considera con ligereza la vida sexual del matrimonio, la esposa puede sentirse profundamente herida y ofendida. El acto de asegurarle repetidamente que él la ama, podría parecer innecesario para el marido, pero no para ella. No necesita escuchar vez tras vez esa seguridad porque sea vana o le guste que la halaguen, sino porque una mujer se aleja instintivamente de los encuentros sexuales desprovistos de amor y de consideración.

Una mujer tiene necesidad especial de sentirse respetada como persona, y a menos que vea que su marido la considera constantemente como una individualidad separada con dignidad propia, no disfrutará de las relaciones sexuales. Debido a que la estima que siente por sí misma se relaciona estrechamente con su capacidad para disfrutar sexualmente, la esposa procurará obtener seguridad en los sectores en los que ella se siente más débil.

La naturaleza sexual se encuentra indisolublemente unida con la naturaleza psicológica. De modo que si la esposa se siente fea, experimentará vergüenza y eso afectará su actuación sexual. Una mujer tímida y con sentimientos de inferioridad expresará esas mismas actitudes en su vida sexual. En la misma forma, la mujer llena de confianza en sí misma, con emociones saludables, es más probable que tenga una vida sexual bien ajustada. Debido a esto, los esposos debieran reconocer que cualquier cosa que reduzca la estima que la esposa siente por sí misma afectará su actuación en las relaciones íntimas. Si él le llama la atención, *aunque sea en broma,* acerca de sus pechos de tamaño reducido, de sus piernas flacas, de su exceso de peso, eso repercutirá negativamente durante los encuentros sexuales.

ALGUNAS IDEAS PARA EL

A continuación aparecen algunas ideas novedosas que le ayudarán a añadir interés a su vida íntima. Pruebe algunas y añada otras de su propia cosecha.

1. Adquiera una bata de levantarse nueva, u otra prenda, y úsela en vez del mismo par de pantalones que ha llevado durante años. Báñese y perfúmese. No olvide de lavarse los dientes, de peinarse y de afeitarse (¡Sí, otra vez!).
2. Coloque un ramo de flores sobre la cómoda.
3. Ponga música suave en el tocadiscos o en la radio.
4. Llámela por teléfono y dígale algunas expresiones de amor.

A continuación añada algunas ideas propias:

1. ____
2. ____
3. ____

Los galanteos de muchos maridos comienzan y terminan únicamente en el dormitorio. Las relaciones sexuales en estas circunstancias se convierten en una actividad sin atractivo ni interés. ¿Por qué no planear una fecha especial, en un día especial, y que termine en un lugar especial? Podría ser un fin de semana pasado en otra ciudad o en un lugar de turismo. O bien, pasar una noche en un hotel. O alguna otra actividad interesante e inusitada. Resulta romántico y estimulante hacer planes para pasar juntos en algún lugar especial.

Además, no es indispensable que la mujer experimente un orgasmo cada vez que tiene relaciones sexuales, para disfrutar de ellas. Numerosas mujeres pueden participar en las relaciones sexuales, no tener orgasmo, y sin embargo quedar satisfechas. El marido nunca debiera *exigir* que su esposa experimente el orgasmo, porque esa exigencia la pondrá en una situación que ella no puede resolver. Como resultado, podría ocurrir que pierda interés en el sexo, o bien puede comenzar a simular que tiene esa experiencia. A ningún marido le conviene empujar a su esposa por la resbaladiza senda de la simulación.

También es necesario recordar que lo que excita al hombre no es lo mismo que excita a la mujer. Ver a su esposa vestida con un negligé puede ser todo lo que el marido necesita para sentir una oleada de pasión. Pero no ocurre lo mismo en la mujer. Aunque puede ser que ella admire la masculinidad de su marido y disfrute al verlo vestido con ropa adecuada para practicar un deporte, eso pocas veces la provocará sexualmente. Similarmente, los besos apasionados excitan más al marido que a la esposa.

La mujer necesita escuchar palabras de aprecio y cariño y experimentar sentimientos agradables y reconfortantes antes de que pueda responder en forma adecuada en la situación sexual. Este es el tema que más interesa a las esposas que participan en mis seminarios sobre matrimonio y sexualidad. Cierta vez pregunté cuál es el cambio que ellas más quisieran hacer en las prácticas sexuales de sus esposos, y una esposa contestó: "Conseguir que él comprenda que la atmósfera preparatoria para el acto sexual comienza cuando él se levanta de la cama en la mañana, y no cuando se mete en la cama en la noche. Las pequeñas atenciones, las palabras de aprecio, los actos que muestran su preocupación por mí, las caricias de que me hace objeto, me hacen sentir atraída hacia él y desear tener relaciones sexuales". El esposo que piense que lo único que tiene que hacer es entrar en el dormitorio para excitar a su esposa, sin llevar a cabo ninguna preparación previa, demuestra que no comprende la sexualidad femenina.

Además de lo dicho, algunos hombres debieran preocuparse más de su aseo personal y del cuidado de su cuerpo. El olor a transpiración, la cara sin afeitar, el mal aliento y otras características desagradables, pueden disgustar profundamente a las esposas y hacerlas sufrir durante las relaciones íntimas. Es tan importante que el marido sea físicamente atractivo para su esposa como que ésta lo sea para él.

El marido que insiste en tener relaciones sexuales a pesar de que su esposa no se encuentra dispuesta o de que se siente mal, resultará chasqueado en cuanto a la calidad de su vida sexual. Un esposo con fuerte inclinación sexual y egocéntrico podrá experimentar alivio de sus tensiones biológicas, pero tendrá un mínimo de satisfacción, porque no ha aprendido cuál es el significado del amor verdadero.

Contrariamente a la creencia popular, las mujeres desean que haya más imaginación y variedad en la vida sexual matrimonial. Una joven esposa me dijo: "Mi marido siempre hace la misma cosa, en el mismo orden, y siempre me dice diez millones de veces: 'Te amo' ". Otras mujeres expresaron que deseaban que sus esposos hicieran algo fuera de lo común y que introdujeran ciertos cambios. El marido que lleva a cabo el acto íntimo siempre en la misma noche de la semana, a la misma hora, en el mismo lugar y en la misma posición, carece de imaginación. El marido que desea que su esposa de la juventud le responda durante toda la vida, necesita introducir un cierto grado de variación en su vida sexual.

El hombre es en gran medida el que toma la iniciativa, y la mujer es la que responde. Pero debe existir algo agradable a lo cual las mujeres puedan responder. Hasta una mujer inhibida puede responder adecuadamente cuando su marido la trata en forma cortés, con cariño, con paciencia y comprensión. ¿Qué podría ser más interesante para un hombre que mejorar la calidad de su vida sexual matrimonial? Cualquier marido puede convertirse en experto en relaciones sexuales matrimoniales si se preocupa de adquirir más conocimientos y de mejorar su técnica. Aunque no es difícil conseguirlo, requiere que se le dedique tiempo, interés y atención suficientes.

Lo que los hombres desean

Una encuesta efectuada con más de cuatro mil hombres reveló que lo que más enfriaba sexualmente a un hom-

EL PROGRAMA DE LAS HORAS INTIMAS

El programa de las horas íntimas fue creado por el Dr. Robert F. Kaufmann, consejero matrimonial, con el fin de ayudar a las parejas conyugales a comprender lo que les agrada y desagrada en su experiencia sexual, sin que su relación conyugal resulte amenazada. Los maridos y las esposas pueden descubrir, no solamente las preferencias del cónyuge, sino también pueden hacer descubrimientos interesantes acerca de sí mismos.

Tanto el marido como la esposa debieran completar juntos el siguiente cuestionario, para el cual no existen respuestas correctas o incorrectas, ni puntajes altos o bajos. Usted puede poner las respuestas por escrito o bien comentarlas verbalmente; lo que le resulte más fácil. Es importante completar de una sola vez todo el cuestionario. No se detenga para comentar largamente un solo punto. Ponga una marca frente a las preguntas que desea analizar detalladamente, para ocuparse de ellas en otro momento. No se limite a dar una sola respuesta, y añada todas las que desee.

Nadie más, fuera del esposo y la esposa, debe enterarse de las respuestas. Los cónyuges deben encontrarse completamente solos cuando trabajen en este cuestionario, para que nadie los interrumpa y puedan así dedicar su atención el uno al otro. Tome todo el tiempo que necesite.

1. ¿Disfruta su cónyuge de las relaciones sexuales tanto como usted? (a) siempre; (b) a menudo; (c) algunas veces; (d) pocas veces; (e) nunca.

2. ¿Desea su cónyuge tener relaciones sexuales con tanta frecuencia como usted? (a) sí; (b) no; (c) no sé.

3. Las relaciones sexuales más satisfactorias ocurren cuando: (a) usted y su cónyuge experimentan el orgasmo al mismo tiempo; (b) la esposa lo experimenta primero; (c) el marido lo experimenta primero; (d) la esposa experimenta el orgasmo, pero no el marido; (e) el marido experimenta el orgasmo, pero no la esposa.

4. ¿Prefiere usted tener relaciones sexuales (a) a plena luz? (b) ¿con luz suave? (c) ¿en la penumbra? (d) ¿en completa oscuridad? (e) ¿en cualquier condición de luminosidad?

5. Si tiene un televisor en el dormitorio, (a) lo apaga antes de iniciar los juegos sexuales? (b) ¿lo apaga después de haber comenzado sus actividades sexuales? (c) ¿lo deja encendido durante las actividades sexuales?

6. Hay prácticas sexuales que le llaman la atención, pero usted nunca las ha llevado a cabo. (a) verdadero; (b) falso; (c) en el pasado pero no ahora; (d) no sé.

7. Si usted tiene muestras de cariño hacia su cónyuge, ¿despierta esto en él (o en ella) el deseo sexual? (a) con mucha frecuencia; (b) frecuentemente; (c) algunas veces; (d) raras veces; (e) nunca.

8. ¿Cuánto tiempo pasa usted con su cónyuge en juegos sexuales antes de las relaciones íntimas? (a) demasiado tiempo; (b) muy poco tiempo; (c) suficiente tiempo.

9. Preferiría que el acto sexual completo con mi cónyuge demorara: (a) menos tiempo de lo que demora ahora; (b) más o menos el mismo tiempo; (c) más tiempo que ahora.

10. Es importante para usted o su cónyuge: (a) tener uno o más orgasmos durante las relaciones sexuales; (b) tener la seguridad durante el acto íntimo de que es amado o amada; (c) tener la seguridad de que usted o su cónyuge es amado después de las relaciones íntimas; (d) continuar recibiendo caricias después de las relaciones sexuales.

11. Suponiendo que su cónyuge experimente el orgasmo antes que usted, ¿sigue interesado en actividades que lo o la estimulan hasta que usted también llega al orgasmo? (a) siempre; (b) con frecuencia; (c) algunas veces; (d) pocas veces; (e) nunca.

12. Debido a que el marido se desentiende de su esposa después de haber tenido un orgasmo, ella a veces puede pensar que ha sido "usada" en las relaciones sexuales. ¿Ha experimentado usted esto en las relaciones con su marido? (a) siempre; (b) a menudo; (c) algunas veces; (d) raramente; (e) nunca.

13. Cuando usted hace algo que complace sexualmente a su cónyuge, ¿indica él o ella su placer? (a) verbalmente; (b) en forma no verbal; (c) no lo indica.

14. Una vez que una persona ha sido excitada sexualmente: (a) siempre desea o necesita un orgasmo; (b) a veces desea o necesita un orgasmo; (c) nunca necesita un orgasmo; (d) probablemente disfruta del sexo con o sin orgasmo.

15. Prefiero tener relaciones sexuales: (a) en la mañana; (b) en la tarde; (c) en la noche; (d) en la noche después de la comida; (e) no interesa el tiempo.

16. Encuentro que mi cónyuge es más atractivo o atractiva sexualmente cuando se acuesta: (a) con el cuerpo completamente cubierto por una bata de noche o un piyama; (b) cuando está cubierto o cubierta solamente hasta la cintura; (c) cuando está cubierto o cubierta únicamente de la cintura para abajo; (d) no tengo preferencia.

17. ¿Le agrada a su cónyuge verlo desnudo o verla desnuda? (a) siempre; (b) a menudo; (c) algunas veces; (d) raras veces; (e) nunca.

18. Prefiero tener relaciones sexuales: (a) en mi propio hogar; (b) en un hotel o motel; (c) en un lugar de turismo; (d) en algún lugar romántico.

19. Pienso que mi cónyuge es sexualmente: (a) demasiado agresivo o agresiva; (b) suficientemente agresivo o agresiva; (c) pasivo o pasiva; (d) demasiado pasivo o pasiva.

20. Durante las relaciones sexuales mi cónyuge y yo generalmente usamos: (a) solamente una posición favorita; (b) solamente un par de posiciones; (c) diversas posiciones; (d) muchas posiciones diferentes.

21. Sé en qué forma puedo excitar sexualmente a mi cónyuge y lo consigo: (a) siempre; (b) con frecuencia; (c) algunas veces; (d) raramente.

22. ¿Cuáles son las zonas más erógenas (que generan placer) del cuerpo de su cónyuge? (a) __________; (b) __________; (c) __________.

23. ¿Son las zonas erógenas de su cónyuge las mismas que cuando estaban recién casados? (a) todas ellas; (b) la mayor parte; (c) algunas de ellas; (d) una sola; (e) ninguna de ellas; (f) no sé.

24. ¿Qué espectáculos, sonidos o aromas lo o la estimulan sexualmente? (a) historias románticas; (b) cierta clase de música; (c) historias de amor en televisión o en cine; (d) ciertos perfumes; (e) nada de lo anterior; (f) alguna otra cosa.

25. ¿Cuáles de las cosas enumeradas en el punto anterior disminuyen sus deseos sexuales?
(a) ____________________
(b) ____________________
(c) ____________________
(d) ____________________
(e) ____________________
(f) ____________________

26. Después de una discusión desagradable con su cónyuge, se va a acostar enojado (o enojada) y tiene relaciones sexuales como medio de reconciliación: (a) siempre; (b) a menudo; (c) algunas veces; (d) raras veces; (e) nunca.

27. Desviarse del coito normal o experimentar con nuevos métodos en las relaciones íntimas es: (a) una perversión; (b) sucio; (c) interesante; (d) estimulante; (e) indispensable para disfrutar de las relaciones sexuales conyugales.

28. Cuando suena el teléfono durante las relaciones sexuales: (a) lo dejo que suene; (b) contesto la llamada; (c) si es para mí contesto brevemente y cuelgo; (d) si es para mi cónyuge, él o ella contesta brevemente y cuelga; (e) mi cónyuge contesta y emplea todo el tiempo que necesita en la conversación.

29. Es más importante que la esposa cuide de su cuerpo y su figura con el propósito de seguir siendo sexualmente atractiva para su marido, de que el marido conserve su físico para seguir siendo sexualmente atractivo para ella: (a) definidamente; (b) probablemente; (c) posiblemente; (d) definidamente no.

30. Si usted encuentra que durante un tiempo considerable las relaciones sexuales con su cónyuge han sido insatisfactorias, debiera usted: (a) ¿dar a su cónyuge algunos libros de fisiología para que los lea a fin de hacer los cambios necesarios? (b) ¿sugerirle directamente algunos cambios? (c) ¿tornarse más agresivo o agresiva? (d) ¿soportar las relaciones sexuales no satisfactorias? (e) ¿evitar el sexo con diversos pretextos todas las veces que pueda? (f) ¿procurar tener relaciones sexuales más satisfactorias con alguna otra persona? (g) ¿decirle a su cónyuge directamente y con toda claridad que su actuación sexual le preocupa?

31. Cuando su cónyuge desea tener relaciones sexuales, adopta uno de los siguientes comportamientos: (a) romántico; (b) seductivo; (c) agradable e interesado; (d) normal; (e) en la misma forma todas las veces; (f) exigente, como si fuera su deber tener relaciones cuando quiera que él o ella lo desee; (g) no dice ni hace nada, fuera de esperar que usted desee relaciones íntimas al mismo tiempo que él o ella.

32. Cuando deseo manifestar aprecio o amor por mi cónyuge, trato de tener con él (o ella) un comportamiento sexual especial: (a) siempre; (b) con frecuencia; (c) algunas veces; (d) raras veces; (e) nunca.

33. ¿Priva usted a su cónyuge de las relaciones sexuales para tomarse el desquite por alguna ofensa real o imaginaria que él (o ella) le ha causado? (a) siempre; (b) con frecuencia; (c) algunas veces; (d) raras veces; (e) nunca.

34. ¿Evita su cónyuge las relaciones sexuales para tomarse el desquite por alguna ofensa real o imaginaria que usted le ha infligido? (a) siempre; (b) con frecuencia; (c) algunas veces; (d) raras veces; (e) nunca.

35. ¿Cómo evita usted las insinuaciones sexuales de su cónyuge cuando no siente deseos? (a) pretende tener dolor de cabeza u otra enfermedad; (b) lo o la distrae con un tema de conversación diferente; (c) se va a otro cuarto; (d) se va a dormir; (e) se queja por la falta de dinero; (f) muestra enojo; (g) habla de los problemas de los hijos; (h) se pone a mirar televisión; (i) se pone a leer; (j) lleva a cabo alguna otra actividad.

36. Cuando usted se casó, ¿esperaba que habría ciclos o períodos de tiempo cuando la actividad sexual con su cónyuge sería considerablemente mejor que otras veces, y también ocasiones cuando sería bastante peor? (a) sí; (b) sí, pero no anticipé los extremos ni la duración de los ciclos; (c) no.

37. ¿Sigue usted teniendo el mismo esmero en sus hábitos de arreglo personal y aseo antes de irse a la cama con su cónyuge que al comienzo de su matrimonio? (a) siempre; (b) a menudo; (c) algunas veces; (d) raras veces; (e) nunca.

38. Las fantasías sexuales: (a) aumentan mi goce sexual; (b) disminuyen mi goce sexual; (c) destruyen mi goce sexual; (d) no tienen efecto en mi goce sexual.

bre era una mujer sexualmente apática, y lo que más irritaba a los hombres en la situación sexual era una mujer que no manifestaba ningún interés en una relación íntima. Los expertos han mostrado que durante la fase inicial de los juegos sexuales, una mujer responde automáticamente a una estimulación eficaz. Pero debe *aprender* a tener orgasmos. No puede lograrlo pasivamente, por muy experto que sea su esposo en la aplicación de la técnica sexual. Debe entregarse, no sólo a su propio marido, sino también a la búsqueda del alivio de la tensión sexual.

No es probable que se quejen los maridos de mujeres apasionadas y creadoras que responden con entusiasmo a la estimulación sexual. Una de las fuentes mayores de falta de satisfacción, en el varón, en las investigaciones que yo misma he llevado a cabo, es la falta de iniciativa y de participación y respuesta de las mujeres: "Quisiera que mi esposa fuera más entusiasta y expresiva". "Quisiera que a veces iniciara el encuentro sexual y hablara en términos de cómo mejorarlo". "Me gustaría que mi esposa tomara la iniciativa en las cuestiones sexuales de vez en cuando, y que pensara más en eso". Y el esposo que hizo esta última declaración, añadió: "Si ella lo hiciera, yo trabajaría menos y no me preocuparía tanto de mi trabajo, para estar más con ella".

La única parte de la experiencia sexual de la que un hombre disfruta más que la eyaculación, es la satisfacción que obtiene de una esposa amorosa que lo encuentra sexualmente estimulante. Sin embargo, en algunos casos hay esposas que debido a ciertas orientaciones religiosas no consideran apropiado dar una respuesta sexual activa e introducir variedad en las relaciones íntimas. Estas esposas se sorprenderían al saber que 65 por ciento de los maridos desean ver más interés de parte de ellas, una respuesta más definida y mayor creatividad.

Si bien la mujer es estimulada sexualmente cuando es objeto de manifestaciones de amor y consideración de parte de su marido, el hombre es estimulado en gran parte por lo que ve. A los hombres les agrada contemplar el cuerpo femenino y se sienten excitados al ver a una mujer desnuda o parcialmente desnuda. Sin embargo, conozco el caso de una esposa que consideraba a su marido un licencioso porque se excitaba cuando ella se desvestía delante de él por la noche. Eso los mantuvo a ambos frustrados, hasta que ella aprendió que la actitud de su esposo no tenía nada que ver con la depravación, sino que era una reacción natural.

En mi seminario sobre el matrimonio pido a las esposas que asisten que compren diversas camisas de noche atractivas y seductoras, de varios largos y colores. ¡Ningún esposo se ha quejado por ese gasto! No hace mucho después que mencioné este encargo a un caballero, él exclamó deleitado: "¡Y dígales también que *nunca* se acuesten con piyamas!"

Hay mujeres que no comprenden correctamente el sentido de San Mateo 5:28, y como resultado se sienten confundidas. Ese pasaje dice así: "Cualquiera que mira a una mujer para codiciarla, ya adulteró con ella en su corazón". Según este versículo, mirar a una mujer se convierte en pecado únicamente cuando la mirada va cargada de concupiscencia.

El hombre puede utilizar el contacto sexual en diversas formas. Puede experimentar diversos sentimientos, además del amor y el afecto. Puede haber sentido frustración y desánimo debido a las dificultades experimentadas durante el día de trabajo, por lo que tal vez buscará las relaciones sexuales como un alivio. Su deseo íntimo puede surgir de la tristeza o de una pérdida ocurrida en otro sector de su vida. O bien, el deseo sexual puede resultar igualmente debido a una sensación de placer producida por alguna realización valiosa en su trabajo o en otra cosa. Esas experiencias no tienen relación directa con la esposa, sin embargo, el marido busca la experiencia sexual con ella debido a sentimientos generados en otro sector de su mundo. Las relaciones sexuales reconfortan al hombre. Las busca para satisfacer otras emociones aparte del amor.

La fatiga es una de las barreras principales que se oponen al interés de la mujer en el sexo. Después de haber luchado durante muchas horas del día, el sexo puede ser lo último que tenga en mente. La esposa amante ordenará correctamente sus actividades para que el sexo no languidezca en el último lugar. Cuando lleguen las nueve de la noche, resistirá el deseo de seguir mirando televisión y en cambio se preparará para irse a la cama. La esposa que considera que el aspecto sexual de su matrimonio es importante, le reservará tiempo y energía.

Los hombres tienen la prerrogativa de tomar la iniciativa en las relaciones sexuales, pero las mujeres deben responder a sus esfuerzos, porque en caso contrario serán en vano. También las mujeres pueden demostrar su capacidad creadora. Por ejemplo, pueden cambiar la decoración del dormitorio, colocar nuevas cortinas, poner un cubrecama nuevo o hacer otros arreglos.

Igualmente pueden preparar una cena especial y disponer la mesa en una forma inusitada, o bien encontrar un lugar diferente y una hora distinta para llevar a cabo el acto íntimo. Estos cambios novedosos e interesantes añaden variedad a las relaciones íntimas.

Apasionamiento en el matrimonio

Los maridos y las esposas debieran tratar de usar su imaginación, de ser creativos y estar dispuestos a experimentar nuevas formas de llevar a cabo la intimidad sexual. Las relaciones íntimas desprovistas de egoísmo, deben ser interesantes, gozosas y satisfacientes. Las relaciones sexuales de buena calidad son el resultado final de una relación matrimonial satisfactoria. Si alguien tiene problemas sexuales, no debiera buscar la respuesta en su vida sexual, sino más bien en la calidad de su relación matrimonial total.

"La vida es un activo proceso de transformación. Si usted no ha añadido nada nuevo a sus intereses durante el año anterior, si continúa teniendo los mismos pensamientos, refiriendo los mismos incidentes personales, teniendo las mismas reacciones predecibles, eso significa que ha sonado el toque de muerte para su personalidad".
–General Douglas MacArthur.

La Diversión en el Matrimonio

Tal vez usted haya oído decir que la familia que se une para orar permanece unida. Algunas personas piensan que lo único que se necesita en la actualidad para mantener el matrimonio es más religión y asistencia a la iglesia. Pero he observado que a menos que la familia se una para orar, para jugar y entretenerse, es posible que sus miembros se aparten unos de otros.

Aunque mi esposo y yo no pretendemos saber todo lo que se necesita conocer acerca del matrimonio, hemos aprendido de nuestros años pasados juntos, que los cónyuges deben disfrutar de la mutua compañía. No siempre nos hemos mantenido a la altura de este ideal, pero damos gracias a Dios porque hemos pasado juntos momentos muy agradables en los cuales mezclamos la diversión con la vida matrimonial.

Hemos conocido hogares cristianos que han tenido éxito y otros que han fracasado. Sin excepción notamos que los matrimonios de más éxito han añadido a la vida en común el calor de la diversión, de la risa y de experiencias gozosas.

Hasta aquí, en esta obra, hemos de-

Contenido del Capítulo

—¿Está bien así?

lineado los principios que requieren disciplina personal y fuerza de voluntad para ser puestos en práctica. Los beneficios de los esfuerzos efectuados proporcionarán una recompensa adecuada, pero aún se requiere una cantidad de trabajo duro para tener un matrimonio feliz. Ahora quisiera decir con todo énfasis que en mi opinión la vida matrimonial no es toda trabajo duro, esfuerzo y autodisciplina. Una parte integrante del matrimonio feliz es la capacidad de gozar en la compañía mutua, de divertirse, de reír y de encontrar gozo en la interacción conyugal.

Desde nuestros primeros años de casados, mi esposo y yo hemos encontrado tiempo, a pesar de nuestras múltiples ocupaciones, para incluir cada semana una actividad que ha enriquecido nuestra vida de casados: viajes campestres, picnics en un lugar favorito, comidas en un restaurante, una noche de juegos, un paseo tomados de la mano por la playa o por otro lugar, y diversas otras actividades que nos han llenado de satisfacción.

¿Cuál ha sido el resultado? Nuestro matrimonio, gracias sean dadas a Dios, aumenta en felicidad cada año.

Viajamos juntos miles de kilómetros; compramos un vehículo que nos permite acampar al aire libre y hemos acampado en los desiertos de California y Arizona, en las montañas de Canadá y del Estado de Washington, junto a los lagos y las playas, y en tantos otros bellos lugares. Algunos de nuestros momentos más gozosos han transcurrido en medio de la naturaleza, donde disfrutamos de la magnífica belleza que Dios ha provisto para sus hijos.

También hemos procurado conseguir que las reuniones espirituales de la familia resulten entretenidas. En vez de convertir la lectura de la Biblia en una ocasión solemne cuando todos los miembros de la familia escuchan con una expresión de gravedad en el rostro, hemos estimulado una actitud creadora en ellos. Como resultado, esas ocasiones espirituales han sido amenizadas con adivinanzas y preguntas bíblicas, con representaciones de personajes de la Biblia, con música y otras actividades interesantes. Tal vez lo más entretenido eran las historias bíblicas representadas por nuestros tres hijos.

Mi esposo y yo llevamos a cabo regularmente actividades entretenidas. Por ejemplo, en la actualidad trotamos juntos temprano en la mañana, y eso no sólo nos proporciona la oportunidad de ejercitarnos para mejorar la salud, sino que también mejora nuestras actitudes, nos permite comunicarnos y estimula el interés mutuo. En el atardecer solemos dar paseos en bicicleta y disfrutar de la frescura de esa agradable hora del día.

Creo que la actividad entretenida más interesante que hemos tenido últimamente fue un viaje que hicimos a San Francisco. Primero nos detuvimos en el Golden Gate Park, situado cerca del famoso puente ubicado a la entrada de la bahía de San Francisco, donde tuvimos momentos muy agradables visitando los jardines repletos de hermosas flores. Luego fuimos a un lugar en la costa desde donde se ve una isla en la que una gran cantidad de focas ha hecho su morada, y nos entretuvimos mirándolas saltar al mar. Visitamos las tiendas de curiosidades y un museo que hay en ese lugar. Durante el resto del día recorrimos numerosos lugares clásicos de esta ciudad turística y en la noche comimos en un restaurante desde el que podíamos ver el mar.

¿Qué ocurre en su caso? ¿Tiene usted una vida matrimonial entretenida? ¿Ha introducido últimamente en su matrimonio actividades interesantes y novedosas que han servido para pro-

DIVIERTASE CON SU CONYUGE

Anote a continuación diez actividades que le gustaría llevar a cabo:

1.
2.
3.
4.
5.
6.
7.
8.
9.
10.

Anote a continuación diez actividades que a su cónyuge le gustaría llevar a cabo, y compare sus respuestas con las de él.

1.
2.
3.
4.
5.
6.
7.
8.
9.
10.

Si ahora no está teniendo con su cónyuge alguna de estas actividades, ¿cuáles le gustaría llevar a cabo?

1.
2.
3.

Anoté a continuación algunos momentos divertidos que ha pasado recientemente con su cónyuge y que usted ha apreciado en forma especial.

1.
2.
3.

¿Cómo se siente usted?

1. Cuando me divierto con mi cónyuge, me siento...
2. Cuando mi cónyuge se divierte conmigo, me siento...
3. Cuando hago con mi cónyuge algo que no me gusta, pero que a él le agrada, me siento...

ducirles mayor unidad y felicidad? ¿Cuándo fue la última vez que hizo algo con su cónyuge, únicamente con el propósito de entretenerse y pasarlo bien? ¿Cuándo fue la última vez en que tuvieron ocasión de reírse juntos?

Se ha comprobado que los comediantes tienen matrimonios de larga duración. ¿Por qué? Tal vez porque la risa sirve para aliviar la tensión. En general no sonreímos ni reímos suficientemente. Se dice que Richard Nixon perdió las elecciones presidenciales la primera vez que se presentó como candidato, porque no sonreía con frecuencia. En cambio, la segunda vez que presentó su candidatura difícilmente se lo veía en una fotografía o en una entrevista de televisión sin que estuviera sonriendo. Sí, la gente responde favorablemente a la sonrisa y a la risa.

Los gerentes de las grandes tiendas han descubierto que las ventas suben hasta en un 20 por ciento cuando los empleados sonríen a los clientes. Algunas compañías insisten en que sus ejecutivos sonrían al entrar por la mañana en las oficinas de la compañía para comenzar el trabajo del día. "Una sonrisa marca la nota tónica para el día —explica el presidente de una compañía—. Determina cómo los empleados se sentirán durante las horas de labor. Les da seguridad, les hace sentir que todo está bien en la compañía. Si un ejecutivo de la compañía llega por la mañana con la cara larga, le da a la gente la impresión de que algo anda mal".

La sonrisa es un medio de decir a los demás que el que sonríe se siente feliz de verlo, de que todo funciona bien y de que resulta agradable estar vivo. Es indudable de que habrá cosas difíciles de las cuales ocuparse, pero se las considerará con un espíritu positivo y con una actitud constructiva.

La risa ejerce un efecto tranquilizante cuando existen problemas. Charles Shedd ha comentado que cuando una pareja aprende a reírse de sus errores, se produce una admirable transformación en el hogar. La sonrisa es un recurso mediante el que se escriben los pensamientos en el rostro. Es una forma de decir a los demás que son apreciados, aceptados y bien recibidos. Cuando uno sonríe, los demás contestan en la misma forma. Es como si se les dijera: "Gracias. Usted está haciendo que mi día resulte más agradable. Me hace sentir que me toman en cuenta, que soy importante y que otros se

¡A DIVERTIRSE JUNTOS!

Sorprenda a su esposa con una invitación a hacer algo especial. Podría ser pasar algunas horas haciendo algo que ella desea. Podría tratarse de una comida en un restaurante. O bien una visita a una nueva tienda de ropa para mujer. Podría ser un viaje al campo, un paseo por un parque, una visita a una tienda de muebles o cualquier otra cosa que ella ha querido hacer. Si tienen hijos pequeños, haga los arreglos para que alguien los cuide durante la ausencia, sin que ella lo sepa. Avísele a su esposa que van a salir juntos apenas con el tiempo suficiente para que se prepare. A las mujeres les gustan las sorpresas y el suspenso, como también el cambio de paso durante algunas horas.

Cree un feriado hogareño en honor de su cónyuge. Con la ayuda de los niños, programe un día especial con banderas, globos, un desfile por la casa, compre comida ya preparada, y cualquier otra actividad interesante. Haga trabajar su imaginación. Haga de éste el día especial de su cónyuge.

Una visita al pasado. Pase una hora con su cónyuge en la sala de la casa recordando acerca de los libros, los álbumes de la familia, las fotografías o los muebles. Recuerde dónde consiguieron esas cosas, lo que significan para ustedes y los sueños compartidos que representan.

Un paseo en la noche. Introduzca frescura y vitalidad en su matrimonio dando un paseo nocturno con su cónyuge. Durante ese paseo converse sobre cosas personales, caminen tomados de la cintura, y repitan lo que hacían cuando eran novios.

Tiempo para recordar. En lugar de mirar televisión una noche, pase una hora con su cónyuge recordando lo siguiente: (1) una ocasión cuando lo pasaron muy divertido; (2) una ocasión embarazosa; (3) una ocasión cuando alguno de ustedes lloró mucho; (4) una ocasión en que se encontraban sumamente cansados; (5) una ocasión cuando tuvieron que trabajar duramente; (6) una ocasión cuando se sintieron muy cerca de Dios. El álbum de la familia puede ayudarles en sus recuerdos. Pueden terminar estos momentos dedicados al recuerdo agradeciendo a Dios por los vínculos que los unen como esposos.

Salidas de exploración. Tal vez usted recuerde algunos lugares interesantes que hubiera querido explorar. Pueden estar en el campo o en la ciudad. Probablemente a su cónyuge le encantaría visitarlos con usted. Fije un día para hacerlo y pida a su cónyuge que elija el lugar que le gustaría explorar.

preocupan de mí".

La sonrisa es un don gratuito que puede producir mucho gozo y satisfacción a otras personas. El hábito de sonreír puede convertirse en un recurso muy valioso cuando se enfrentan situaciones que de otro modo podrían producir desánimo y desesperación. A continuación transcribimos algunos versos de un poema de Ella Wheeler Wilcox, que trata de la sonrisa:

> Si la vida fluye cual canción,
> sonreír es algo natural;
> pero el hombre que vale la pena
> sonríe aunque todo salga mal.

Haga lo posible para que hoy sea un día agradable para su cónyuge, y para su familia. Sorpréndalos con algo. Cuénteles un relato divertido. Haga planes anticipados para hacer juntos algo especial. Haga con ellos una visita a un lugar interesante. Haga un regalo a su cónyuge. Sonría. Ría. Tome tiempo para jugar. Encuentre la manera de pasar momentos divertidos con su cónyuge. Haga su vida matrimonial tan feliz y gozosa como sea posible.

"No pensaríamos en construir una chimenea de piedra sin piedras, o preparar un pastel de manzanas sin manzanas. ¿Por qué, entonces, hay tanta gente que procura formar hogares cristianos sin Cristo? Tratan de mantener principios 'cristianos', de establecer un hogar 'cristiano' y hasta emplean una terminología 'cristiana'; pero sin la presencia de Cristo no puede haber un hogar cristiano. El Dios grande y santo debe vivir en ese hogar; y también debe vivir en los corazones de los que le dan el nombre de 'hogar' a esa casa".

–Charles J. Crawford.

Capítulo 10

La Religión en el Hogar

Casi todas las parejas que se prometen amor y vivir juntos, esperan tener un matrimonio lleno de felicidad. Pero solamente unas pocas realizan este sueño. ¿Por qué? Porque no han descubierto la dimensión espiritual que falta y que les ayudaría a hacer frente a los conflictos y a la incompatibilidad.

Pascal, médico y filósofo, dijo: "En el corazón de todo ser humano existe un vacío que tiene la forma de Dios, que no puede ser llenado por ningún ser creado, sino únicamente por Dios, el Creador". ¡Cuán cierto es! Los seres humanos son intensamente espirituales, y cuanto más avanzan en edad, tanto más conscientes se hacen de esta realidad.

La dimensión perdida

Aunque a través de toda esta obra hemos hecho referencia a la dimensión espiritual del matrimonio, no nos hemos referido exclusivamente a ella; pero consideramos que es posiblemente la parte más importante en el ajuste matrimonial. La relación entre esposo y esposa descrita en este libro es más que un compromiso entre dos personas. Se trata más bien de una triple relación entre el esposo, la esposa y Dios.

Contenido del Capítulo

Notemos en el diagrama triangular que al acercarse a Dios el esposo y la esposa, también se aproximan el uno al otro. Entonces, al añadirse la dimensión espiritual se transforma la relación matrimonial en una fuente de poder. La Biblia nos dice: "Si Jehová no edificare la casa, en vano trabajan los que la edifican" (Salmo 127:1).

Si una pareja conyugal desea experimentar unidad total deben orar juntos el marido y la esposa. Sin unidad espiritual será imposible lograr unidad total en la comprensión, en la comunicación o en el sexo. La unidad espiritual proporcionará un poder superior al que las parejas comunes conocen en su matrimonio.

Martín Lutero, después de su casamiento con una ex monja, habló del milagro realizado por Jesús cuando convirtió el agua en vino en la fiesta de bodas. Dijo que sin la dimensión espiritual en el matrimonio, la vida se torna insípida y sin interés. Pero cuando el Maestro viene al hogar, siempre cambia el agua en vino. Su presencia transforma una relación común y corriente en otra llena de placer y vivacidad. Elimina la monotonía. Quita el frío del deber y pone en su lugar contentamiento y felicidad.

El significado de los ejercicios espirituales familiares

¿Qué significa tener un ejercicio espiritual de adoración en compañía del cónyuge? ¿Quiere decir que el esposo y la esposa asisten regularmente a servicios religiosos? Ciertamente eso sería de ayuda, pero el culto verdadero comienza con la serenidad de la persona. El culto genuino significa colocar la voluntad propia en las manos del Creador. El culto de adoración auténtico depende de la relación que uno tiene con Dios, más que de la atmósfera religiosa que existe en un templo.

¿En qué forma puede usted encontrar esta clase de experiencia personal para poder adorar juntamente con su cónyuge? A continuación presentamos cinco ingredientes indispensables que intervienen en el culto de adoración de los cónyuges.

A *Ejercicios devocionales personales.* La profundidad de su experiencia de adoración se mide por lo que acontece después que usted se retira de la reunión de adoración en la que participó con el resto de la congregación. ¿Qué ocurre en su hogar durante la semana? ¿En su trabajo? ¿Durante sus obligaciones sociales? Usted representa la iglesia a la que asiste, y su influencia en la vida cotidiana habla en favor o en contra de Dios.

Un joven padre se levantaba temprano todos los días para llevar a cabo sus ejercicios devocionales. Cierta mañana se encontraba sentado solo mientras la familia dormía. De pronto entró en el cuarto su hijita soñolienta. Irritado por la interrupción de sus pensamientos, le ordenó retirarse. La niñita corrió llorosa hacia la cama de su madre y le preguntó qué hacía papá solo en la habitación. La madre le contestó: "Está tratando de aprender a amar a sus compañeros de oficina". ¿Amar a los compañeros de oficina cuando no se está dispuesto a amar a los miembros de la familia? Los ejercicios devocionales personales deben transformar la vida del que los practica. Afortunadamente el padre de nuestro relato aprendió la lección y comenzó a invitar a su hijita a que lo acompañara en sus devociones.

Es imposible vivir una vida espiritual saludable, firme, sin dedicar tiempo a los ejercicios devocionales personales. Intentar hacerlo es lo mismo que tratar de viajar en automóvil sin nunca poner gasolina en el tanque. No se irá a ninguna parte. Los días se convertirían en una sucesión de fracasos y arrepenti-

mientos, y las noches de insomnio producirían fatiga y nerviosidad.

¿En qué consisten los ejercicios devocionales diarios? Son momentos en que se somete la mente, el cuerpo y la voluntad a la influencia del Espíritu Santo ejercida a través de las enseñanzas bíblicas. Son momentos cuando se descansa en Dios, cuando se presentan peticiones a Dios y se escucha para recibir su respuesta.

Las cuestiones prácticas de cómo, cuándo y dónde tener las devociones personales, al parecer, detienen a muchos aun antes de comenzar. Las respuestas a estas preguntas serán diferentes para cada persona, pero a continuación presentamos algunas sugerencias.

(1) Elija una hora que se adecue a su estilo de vida personal. Alguien tal vez elegirá los momentos justamente antes de retirarse a dormir. Pero si usted se siente cansado e irritable a esa hora, soñoliento, o si es interrumpido por llamadas telefónicas, puede elegir una hora diferente. Personalmente prefiero las horas tranquilas de la mañana, antes que los demás se levanten.

(2) Encuentre un lugar tranquilo donde pueda estudiar sin interrupciones. Debe disponer de una silla cómoda y tener, además, iluminación adecuada.

(3) Tenga a mano un lápiz y un cuaderno de notas para registrar los pensamientos e impresiones que surjan en su mente durante el estudio. Estos podrían servir de base para momentos de meditación futuros, o como temas de conversación. Consiga también un lápiz rojo de punta fina para subrayar la Biblia. Use una regla para que las líneas resulten derechas. Los pasajes subrayados pueden ser de gran utilidad para usted.

(4) Cada mañana, antes de comenzar su ejercicio devocional, pida a Dios que le hable a su corazón. Ofrézcale su voluntad obediente. Pídale comprensión y una mente sin prejuicios, para poder recibir la mayor bendición mediante su estudio.

(5) Los ejercicios devocionales diarios debieran incluir lectura de la Biblia. Esta podría hacerse tema por tema, o bien leyendo de corrido desde el Génesis hasta el Apocalipsis. Se ha recomendado pasar una hora diaria meditando en la vida de Jesús. Si esto se hiciera, produciría cambios notables en la familia. Convendría adquirir una buena biografía de Jesús, como *El Deseado de todas las gentes* (publicado por esta misma editorial).

(6) Termine con una oración sincera y abarcante. No oculte nada a Dios, porque de todos modos él lo sabe todo y lo ve todo. Con la confesión hecha directamente al Padre celestial se recibe perdón y paz mental. Así estará preparado para hacer frente a las diferentes situaciones difíciles que se presentarán durante el día. La oración proporciona poder.

Cuando uno ora a Dios, con frecuencia repite frases formales. Es necesario evitar las expresiones artificiales. Hable con Dios en la misma forma como lo haría con un amigo. Dedique tiempo a formular el problema y luego pida el cumplimiento de cualquier promesa relacionada con él. Incluya situaciones difíciles que le preocupan, porque Dios también puede ayudarle a resolverlas en forma adecuada.

No piense que la oración es solamente un medio para pedir cosas a Dios. Así como la comunicación entre usted y su cónyuge tiene dos vías, también la comunicación con Dios debe ser de ida y vuelta. Presente sus peticiones a Dios y medite en calma p tratar de captar la respuesta divina.

B *La oración.* Es importante que juntamente con el estudio de la Biblia usted tenga una sesión de oración. ¿Con cuánta frecuencia usted y su cónyuge oran juntos en voz alta? Orar en voz alta a su Padre celestial es uno de los medios más adecuados para mejorar la comunicación entre dos personas. Un matrimonio puede ser completamente transformado cuando sus integrantes buscan juntos a Dios en oración en forma regular. Si usted y su cónyuge no lo han hecho, le sugiero que practiquen la "oración compartida".

Este método de oración compartida consiste en que cada noche, uno de los cónyuges comienza pidiendo la ayuda de Dios en alguna cosa específica. El otro cónyuge, a su turno, ora por lo mismo. Luego, el primer cónyuge ora por alguna otra cosa, y el otro responde orando por lo mismo. Esta práctica continúa hasta que el primer cónyuge no presenta nuevos motivos de oración. En la noche siguiente, el segundo cónyuge introduce el primer tema de oración, y luego continúan con el mismo procedimiento.

Cuando el esposo y la esposa oran por las mismas cosas, pronto ambos se preocuparán por los mismos asuntos. Esto también produce algunos beneficios adicionales. El otro cónyuge puede recordar algo importante que usted ha olvidado. Debido a que el esposo y la esposa se interesan en cosas diferentes, ocurrirá que ella orará por la relación conyugal, por los niños y por problemas personales. El orará probablemente acerca de las finanzas, de su trabajo y el futuro. Al compartir las preocupaciones, ambos se unirán todavía

más estrechamente con los vínculos del amor.

Cuando el esposo y la esposa aprenden a orar juntos, descubren una importante medida preventiva contra los problemas conyugales. Hay un número excesivo de parejas matrimoniales que viven sin orar nunca, y eso produce malos resultados en el matrimonio.

C *El culto en el hogar.* En esta época de progresos técnicos y ajetreo, son pocos los hogares en que el padre y la madre reúnen a los hijos alrededor de ellos para cantar himnos religiosos, para leer historias formadoras del carácter, estudiar la Biblia y orar. Probablemente cuando llegó la televisión se perdió el culto en el hogar. Lamentablemente, la mayor parte de las familias no echan de menos estos momentos devocionales, tal vez porque nunca disfrutaron de ellos.

Una disculpa frecuente es: "No tengo tiempo". Otros dicen: "Cuando estamos todos en casa nunca encontramos tiempo para los ejercicios devocionales". No faltan quienes declaran: "No sabría por dónde empezar". Y también algunos dicen muy seguros de sí mismos: "Nuestra familia ha funcionado bien sin el culto en el hogar", lo que revela falta de visión y conocimiento de lo que el futuro podría reservar para ellos. Es posible presentar numerosas disculpas, pero ninguna de ellas tendrá valor cuando Dios pregunte en el juicio dónde están los hijos que Dios entregó a nuestro cuidado.

A continuación presentamos algunas sugerencias generales acerca de cómo

se puede llevar a cabo el culto en el hogar.

(1) Establezca una hora conveniente que satisfaga a todos los miembros de la familia. Esto puede resultar difícil, especialmente cuando los hijos crecen y la familia se desparrama en todas direcciones: el padre asiste a una reunión de negocios, y la madre va a visitar un familiar, un hijo trabaja hasta las once de la noche y el otro practica básquetbol dos noches por semana. En nuestra familia decidimos tener nuestros ejercicios devocionales a primera hora en la mañana, para evitar los problemas que se presentaban en la noche. Leíamos un corto pasaje de la Biblia, lo explicábamos a los niños y lo aplicábamos a sus necesidades particulares, y orábamos. Un par de veces por semana leíamos historias en la noche, escuchábamos música y hacíamos planes para disfrutar en el futuro de nuevas actividades interesantes.

Cuando los niños son pequeños se puede planear el culto en el hogar sin grandes dificultades. Los dos momentos más adecuados probablemente sean inmediatamente después de la cena y antes de acostarse. En realidad no tiene gran importancia la hora del día cuando se tienen los ejercicios devocionales, con tal que estén presentes todos los miembros de la familia. Es muy importante llevar a cabo estos ejercicios con toda regularidad.

(2) El culto en el hogar debe incluir música, si es posible. A los niños les encanta cantar. La música crea una atmósfera de adoración y subyuga las emociones. A los niños pequeños les gustan los cantos con movimiento y acción. También les gusta sostener objetos que representan lo que están cantando. Por ejemplo, si cantan acerca de los corderitos o de las avecillas, pueden tener corderitos y pajaritos pintados, o de tela rellena que pueden levantar o agitar mientras cantan.

Permita que cada niño elija su propio canto religioso. Pídale que se ponga al frente de la familia para dirigirlo mientras todos cantan. Esto, además de darle participación en el culto del hogar, aumenta la confianza en sí mismo. Después de seguir este programa durante algunas semanas, es posible que sus hijos canten mientras juegan. ¡Cuánto mejor es que hagan eso en vez de tararear la música de avisos comerciales que invitan a tomar o a fumar!

(3) Enseñe sin sermonear. Muchos padres y madres no saben enseñar sin incurrir en molestos y exasperantes sermoneos. Cuando sea necesario corregir a un hijo o hija, debido a que manifiestan un comportamiento indeseable o muestran repetidamente un rasgo de carácter negativo, conviene que lo hagan sin violencia y sin herir los sentimientos ni la dignidad de los niños.

En la Biblia hay numerosos relatos formadores del carácter. Estos pueden ser leídos o referidos y explicados a los niños. Ellos los aprenderán y tratarán de imitar las buenas cualidades presentadas. También existen libros con relatos bíblicos, como *Las bellas historias de la Biblia* (publicados por esta misma editorial). Estos relatos orientadores se pueden presentar en la hora de los ejercicios devocionales de la familia. A los niños les encantará escucharlos y ver las hermosas ilustraciones.

(4) Hable con Dios. Todas las actividades efectuadas durante los ejercicios espirituales en el hogar deben contribuir a reforzar la idea de que la familia está en comunicación con Dios. La oración es un medio excelente para enseñar a los niños que es posible hablar con Dios en la misma forma como se conversa con un amigo. Durante la oración, el padre o la madre pueden dar gracias a Dios por algo difinido, y luego pedir a cada niño que haga lo

mismo. A continuación puede presentar a Dios un problema definido y solicitar su ayuda para resolverlo, y luego pedir a cada niño que presente un problema personal. Esto le da participación a los chicos, les ayuda a prestar atención y evita el aburrimiento que se produce cuando un adulto hace una larga oración.

D *Asistencia a la iglesia.* La mayor parte de los matrimonios, después de la ceremonia civil, se solemnizan en la iglesia. ¿Por qué? ¿Consideran los jóvenes cónyuges que la religión es importante para su vida matrimonial? ¿Qué efecto tiene en la pareja conyugal la asistencia regular a la iglesia? ¿Qué impresión causa sobre los hijos?

El análisis de miles de casos de divorcio ha demostrado que cuando ambos cónyuges no asisten a la iglesia, o cuando uno solo de ellos lo hace, se producen dificultades serias al poco tiempo de estar casados, y en muchos casos eso acarrea el divorcio. En cambio, los matrimonios que asisten a la iglesia y que practican la religión, tienen matrimonios más felices y duraderos.

E *Consistencia.* Alguien preguntó a un hombre de negocios:

—¿Cuál es su ocupación?

—Soy cristiano —replicó éste.

—No, no —dijo el otro—. Quiero decir, cuál es su trabajo.

—Soy cristiano —fue la respuesta.

—Parece que usted no me comprende. Lo que deseo saber es en qué se gana usted la vida.

—Ocupo mi tiempo completo en ser cristiano —respondió—. Pero para pagar los gastos trabajo como gerente de una compañía.

Ojalá todos pudiéramos aplicar el mismo enfoque a nuestra práctica de los principios cristianos, y hacerlo con la misma dedicación y constancia. Uno de los dichos favoritos de mi marido es: "Somos constantemente inconstantes". ¡Cuán cierto es! El comportamiento regido por principios religiosos en forma constante es una importante clave para la armonía y la felicidad en el matrimonio. La forma como nos comportamos en el hogar es lo que realmente somos. Lo que la gente ve en nosotros cuando nos presentamos en la iglesia muy bien vestidos, es solamente la parte exterior; pero lo que realmente importa es cómo somos en nuestra personalidad íntima, que es lo que Dios ve.

Cierta vez en que un padre y su hijo viajaban en automóvil, el padre cometió una infracción de la ley del tránsito y fue detenido por un policía. Recibió una boleta. Después de reiniciar el viaje, el padre habló mal del policía y de las leyes del tránsito y dijo que trataría por todos los medios de no pagar la multa. Cuando se le pasó el enojo, se dio cuenta de que había dado un mal ejemplo a su hijo. De modo que le explicó a su hijo que a veces los adultos, cuando están enojados, dicen cosas que realmente no sienten. A continuación el padre reconoció que había cometido una infracción, y fue con su hijo a pagar la multa. Ese niño aprendió a respetar las leyes del tránsito.

Las enseñanzas de la Biblia referentes al matrimonio, a los hijos y a la vida en general son bastante claras y específicas. También son necesarias para el buen funcionamiento de la familia. Por eso, tanto los padres como los hijos harían bien en ponerlas en práctica constantemente en sus vidas. Es el mejor recurso que tenemos a nuestro alcance para vivir felices para siempre.

Tal vez el lector ha tratado de ser constante en la aplicación de las enseñanzas cristianas en su vida matrimonial, pero probablemente ha fracasado en numerosas ocasiones, como ha sido el caso de tantos otros. Este problema se puede resolver cuando se reconoce que *la vida espiritual consistente se debe vivir con ayuda de la voluntad y no mediante las emociones.* Como seres humanos hemos recibido el don del libre ejercicio de nuestra voluntad. Como cristiana, creo que una de las representaciones pictóricas más interesantes y atrayentes de Jesús es la que lo muestra parado frente a una puerta en el acto de golpear. Representa a Cristo pidiendo acceso a la vida íntima de la persona. El no fuerza la voluntad para entrar, sino que bondadosamente solicita que se le abra la puerta del corazón. El dice: "He aquí, yo estoy a la puerta y llamo; si alguno oye mi voz y abre la puerta, entraré a él, y cenaré con él, y él conmigo" (Apocalipsis 3:20). En el cuadro a que hemos aludido, el cerrojo de la puerta está por dentro. Eso significa que nosotros debemos abrir la puerta e invitar a Jesús a que entre.

No debemos basar nuestra experiencia religiosa en nuestros sentimientos. Las emociones pueden resultar contradictorias y equívocas. Debemos comprometernos a obedecer la voluntad de Dios todos los días, aunque no sintamos nada. Eso nos mantendrá en el camino seguro. Es la única forma como podemos vivir una vida cristiana abundante y consistente.

Quisiera concluir con una experiencia personal. En nuestros primeros años de matrimonio, mi esposo y yo tuvimos serios problemas. Eramos jóvenes, no teníamos experiencia y desconocíamos la disciplina de la vida de casados. Teníamos nuestros ejercicios devocionales en la familia, asistíamos a

la iglesia, leíamos la Biblia y hacíamos todas las cosas "buenas" que se espera que los cristianos lleven a cabo. Pero nuestra situación seguía empeorando.

Si no hubiera sido por nuestra firme fe en Dios, nuestro matrimonio habría terminado en el fracaso, puesto que habríamos pensado que no valía la pena salvar nuestra relación matrimonial tan deteriorada ni seguir angustiándonos mutuamente. Pero nos sostuvo la fe cristiana que habíamos aprendido desde niños en nuestros hogares respectivos, y finalmente se convirtió en un elemento estabilizador. En la actualidad, después de muchos años de casados, nuestro matrimonio está más firme que nunca, sostenido por el amor de Dios y por el amor que sentimos el uno por el otro. Nos alegramos de haber comprendido finalmente que no podemos hacer nada por nuestras propias fuerzas, pero podemos ser felices para siempre con la ayuda inapreciable de Dios.

Digamos con el apóstol San Pablo: "Todo lo puedo en Cristo que me fortalece" (Filipenses 4:13).